August
Strindberg *Ensam*

01

August Strindberg

Ensam

Förord av
Per Olov Enquist

Forlaget Geelmuyden.Kiese
Scandinavian Airlines

Scandinavian Airlines System
in cooperation with
Forlaget Geelmuyden.Kiese

Printed by PDC Tangen, Norway
Graphic design by SthlmLab
Photography by Bildhuset/Stefan Fallgren

First Swedish edition 1903
This edition © 1998 Forlaget Geelmuyden.Kiese
Introduction © 1998 Per Olov Enquist
Translation © 1998 Forlaget Geelmuyden.Kiese/
Evert Sprinchorn
All Rights Reserved
ISBN 82-7547-016-1

Insikt och protest

År 1903 skriver August Strindberg en roman som han kallar "Ensam". Ordet "roman" kanske är en dålig beteckning, det han skriver är en tankebok om sig själv. Romanens subjekt, jaget, är han själv, förklädnaden är dålig.

Egentligen vill han inte förklä sig alls. Han använder snarast fiktionen av gammal vana.

Alla inser ändå, och skall inse, eftersom författaren vill det, att här talar August Strindberg, 53 år gammal, författare, bosatt i Stockholm, här talar just han till sina läsare. Man måste för övrigt påminna sig just Strindbergs ålder. Han påminner oss själv, oavbrutet, om den: det vill säga indirekt. Påståendet att han inte är så gammal, att livet inte är slut, vilket är riktigt påpekat av denne medelålders författare. Men ändå är detta en bok om åldrandet, summerandet, insikten att det snart är slut.

Det var också riktigt. Han hade nio år kvar att leva. Och hans livsverk låg i stort sett bakom honom.

Där bakom låg också tre äktenskap, varav det sista, med Harriet Bosse, var så nyss havererat att han nästan inte själv var säker på vad som hänt, och om det hänt. Men det gjorde ont, därför nämner han inte just smärta, inte en enda gång. Han har återvänt från en lång och bitvis plågsam exil, som inkluderar Inferno-perioden. Han är världsberömd. Han anser sig världsberömd och förföljd, kortare kan det inte sammanfattas. Han inser samtidigt att han själv inte saknar skuld i sin paranoida känslighet. Kanske, kanske är han mest av allt älskad och beundrad? Han är inte säker, men han promenerar runt i Stockholms periferi så att säga med garden uppe.

Framför allt är han ensam.

"Ensam" är en roman om Stockholm, och som historisk resehandbok för förståelsen av sekelskiftets Stockholm är den sällsynt usel och intresseväckande. Han beskriver ett Stockholm som endast kan tolkas genom Strindbergs liv, en drömspelresehandbok. Han går, vandrar, beskriver; makabra processioner av monster dyker upp, växande slott byggs, det nybyggs, hus står kvar, det är en stad som mindre är verklighet än en expressionistisk hallucination som berättar om August Strindbergs återkomst till sitt liv. Det var här han lade grunden. Det var här allting började, det var här vänner skapades och blev fiender, det var här synder begicks och förtegs, det var här detta egendomligt känsliga, misstänksamma, sårbara och vädjande författarjag tog form som skulle skapa några av världslitteraturens mest svårtolkade och märkliga konstverk.

"Ensam" är på detta sätt en central text: vi får inifrån betrakta August Strindbergs mycket speciella sätt att tänka, och reagera. Den är dessutom intressant av en mycket speciell orsak: han hade nämligen ännu några mästerverk att skriva, och det är här, i denna prosatext som kanske är en roman, det är här i "Ensam" han tar sin ansats.

Fyra år senare skriver han nämligen sina fyra kammarspel, och av dem tillhör i varje fall "Spöksonaten" hans mest spelade, älskade och omtolkade dramer. Kammarspelen lämnar med sina branta övergångar, häftiga kast, med sin egendomliga logik, sina häftiga anklagelser och sina obegripliga böner om förlåtelse till personer dolda i mörkret – Kammarspelen lämnar inte ifrån sig enkelt fungerande nycklar till sina många dörrar. Kammarspelen utspelas nämligen just i det icke existerande expressionistiska Stockholm som han beskriver i "Ensam".

Det är i "Ensam" han påbörjar den vandring han ska fortsätta i Kammarspelen. Den som vill förstå Strindbergs sätta att tänka, attackera, ursäkta, förklä sig i dramer, han kan börja här. Men det betyder inte att denna tankebok bara är en förstudie, en dramatisk arbetsbok. Med sin egendomligt mångbottnade tonfall av resignation, insikt och protest är det historien om en mycket gammal 53-årig författare som ständigt börjar om, och inte ger upp.

Hans världsbild är i förändring. Hans Stockholm är inte de andras, snarast ett swedenborgskt helvete som han inser kan vara en himmel, om han bara saktar ner stegen, reviderar och sedan tar sats på nytt.

Per Olov Enquist

I

Efter tio års vistelse i landsorten är jag åter i min
födelsestad och sitter nu vid ett middagsbord bland de
gamla vännerna. Vi är mer eller mindre femtioåringar
allesammans, och de yngre i sällskapet är över fyrtio
eller omkring. Vi förvånas över att vi icke ha åldrats
sen sist. Det syns visserligen litet grått i skägg och vid
tinningarna här och där, men så finns det också de som
blivit yngre sen sist, och de erkänna att vid deras
fyrtionde år skedde en märklig förändring i deras liv.
De kände sig gamla och trodde livet vara mot slutet;
de upptäckte sjukdomar som icke fanns; överarmar
styvnade och de hade svårt att dra på överrocken.
Allting föreföll dem gammalt och utslitet; allting
upprepades, kom igen som evigt enahanda; det unga
släktet trängde på hotande och tog ingen notis om de
äldres bedrifter; ja, det förargligaste var att de unga
gjorde samma upptäckter som vi hade gjort och vad

värre var, de bar fram sina gamla nyheter som om de aldrig varit anade förut.

Emellertid under det vi talade om gamla minnen som var vår ungdoms, sjönk vi tillbaka i tiden, levde bokstavligen om det flydda, befann oss tjugo år tillbaka, så att någon började undra om tid fanns.

– Det har redan Kant utrett, upplyste en filosof. – Tiden är endast vårt uppfattningssätt av det varande.

– Se där! Det har jag tänkt också, ty då jag minns småhändelser från fyrtiofem år tillbaka står det så klart som om det hänt i går; och det som skedde i min barndom är lika nära mig i minnet som det jag upplevde för ett år sen.

Och så undrades det om alla tyckt detsamma i alla tider. En sjuttioåring, den enda i sällskapet som vi betraktade som gubbe, anmärkte att han ännu icke kände sig gammal. (Han var nyss omgift och hade barn i vaggan.) Vid denna dyrbara upplysning fick vi intrycket av att vara pojkar, och samtalets ton blev verkligen mycket ungdomlig.

Jag hade nog märkt vid första sammanträffande att vännerna var sig lika, och jag hade förvånats däröver; dock hade jag observerat att man icke log så snabbt som förr och att man iakttog en viss försiktighet i tal. Man hade upptäckt det talade ordets kraft och värde. Livet hade visserligen icke gjort omdömet mildare, men klokheten hade slutligen lärt en, att man fick igen alla sina ord; och att man även måste använda halvtonerna för att något så när kunna uttrycka sin mening om en människa. Nu däremot släpptes lös: ord skräddes icke, åsikter respekterades icke; man föll in i gamla travet och det blev fullt sken, men det var roligt.

Så blev en paus; flera pauser; och så blev det obehagligt tyst. De som talat mest erfor en beklämning som om de talat huvudet av sig. De kände att under de förgångna tio åren nya band hade knutits i det tysta av var och en, att nya okända intressen rest sig emellan, och att de som språkat fritt hade törnat på undervattensrev, hade slitit i trådar, trampat i nyodlingar, vilket allt dessa också skulle ha märkt, om de sett de blickar som beväpnat sig till motstånd och försvar, dessa dragningar i mungipor då läpparna dolde ett undertryckt ord.

När man lämnade bordet var det som om de nyss spunna trådarna slitits. Stämningen var bruten och var och en befann sig i försvarstillstånd, knäppte igen om sig; men då det likafullt måste talas, sade man fraser, vilket syntes på ögonen som icke följde med ordet, och på leenden som icke stämde med blickarna.

Det blev en odrägligt lång kväll. Enstaka försök att i grupper och på tu man hand uppliva gamla minnen misslyckades. Man frågade, av pur okunnighet, om saker som man icke skulle frågat. Till exempel: – Hur står det till med din bror Herman, nu? (En slängfråga utan mening att få veta något som ej intresserade.) – (Förstämning i gruppen.) – Jo, tack – det är tämligen sig likt; någon bättring kan man icke spåra!

– Bättring? Har han varit sjuk då?

– Ja ... Vet du inte?

Någon kastar sig emellan och räddar den olycklige brodern från den smärtsamma bekännelsen att Herman var sinnessjuk.

Eller så här: – Nå – å, din hustru får man inte se? (Hon höll på att skiljas!)

Eller så här: – Din gosse är stor nu; har han tagit examen än?

(Det var familjens förlorade hopp.)

Med ett ord, man hade förlorat kontinuiteten i ungänget och det gick sönder. Men man hade även prövat livets allvar och bitterhet, och man var icke pojke längre åtminstone.

När man skiljdes utanför porten slutligen kände man ett behov att skiljas fort, och icke som förr att på ett kafé, förlänga samvaron. Ungdomsminnena hade nämligen icke haft det uppfriskande inflytande man väntat. Allt det förgångna var ju det strö i vilket det närvarande växte, och ströet hade redan brunnit ihop, var utsuget och började mögla.

Och så märkte man att ingen längre talade om framtiden, utan bara om det förflutna, av den enkla

grund att man redan befann sig i den drömda
framtiden och icke kunde dikta någon sådan mera.

*

Fjorton dagar senare befann jag mig åter sittande
vid samma bord, i nästan samma sällskap, och på
samma plats. Nu hade man haft tid, att var och en i
sin stad läsa över svaren på alla de påståenden man
förra gången av artighet lämnat obesvarade. Man kom
beväpnad; och nu skar det sig som sur mjölk. De som
var trötta, lata, eller föredrog god mat lät udda vara
jämnt, föll undan och lämnade en tystnad efter sig;
men de stridslystna drabbade. Man hade jämkat på
det hemliga programmet, som aldrig förkunnats
riktigt tydligt, och man beskyllde varandra för avfall.
   – Nej, jag har aldrig varit ateist! skrek en.
   – Jaså? Inte det?
   Och nu började en diskussion som borde ha hållits
tjugo år förut. Nu försökte man göra medvetet vad
som under den lyckliga växttiden drivit fram
omedvetet. Minnet stod icke bi; man hade glömt vad
man gjort och sagt; man citerade sig själv och andra
orätt, och det blev tumult. Vid första tystnad tog
någon om samma sak, och samtalet gick i ett
tramphjul. Och så tystnade det, och så började det om
igen!
   Denna gång skildes man med den känslan att det
var slut med det förgångna, och att man blivit myndig,

ägde rättighet att lämna trädskolan och växa fritt för sig själv, utplanterad på fritt land, utan trädgårdsmästare, sax, och etikett.

Så gick det till, i huvudsak, att man blev ensam, och så har det väl alltid gått till. Men riktigt slut var det ändå inte, ty några som icke ville stanna i växten, utan gå framåt, göra upptäckter, erövra nya världar, slöt sig tillsammans i en liten grupp och begagnade kaféet till samtalsrum. Man hade nog försökt i familjerna förut, men där upptäcktes snart att vännen fått ett foder i rocken som kallades hustrun. Och detta stramade i sömmarna som oftast. I hennes närvaro måste man tala om "annat", och glömde man sig att tala om sitt, så inträffade två fall: antingen tog frun ordet och avgjorde alla frågorna diktatoriskt, och då måste man tiga för artighets skull, eller reste sig frun, sprang ut i barnkammaren och syntes icke förrän vid bordet där man kände sig som en tiggare och snyltgäst och blev behandlad som om man ville locka hennes man från hus och hem, från plikter och tro.

Så gick det inte; och för övrigt skildes vänner oftast genom sina fruars ömsesidiga antipati. De var kinkiga på varann.

Det blev alltså vid kaféet. Men underligt var det, att man inte satt där så gärna som förr. Man ville nog intala sig att här var det neutrala samtalsrummet, där ingen var värd och ingen gäst; men det kändes en oro för de gifta, att någon satt ensam hemma, som, om hon verkligen varit ensam i livet, skulle sökt sitt sällskap, men nu var dömd till ensamheten i hemmet. Och dessutom – kafégästerna var mestadels ogifta, alltså ett slags fiender, och de tycktes såsom hemlösa, äga rättigheter här. De uppförde sig som de var hemma här, stojade, skrattade i salvor, betraktade de gifta som intränglingar, med ett ord – de störde.

I min egenskap av änkling tyckte jag mig ha en viss rätt till kaféet, men jag måtte inte ha haft det, och när jag lockade ut de äkta männen dit, ådrog jag mig snart fruarnas hat, så att jag upphörde bli bjuden i hemmen. – Och kanske med rätta, ty äktenskapet är ett på-tu-man-hand.

Kom herrarna verkligen, så var de ofta så fulla av sina husliga angelägenheter, att jag först måste åhöra deras bekymmer, om pigor och barn, och skolgång och examina, att jag kände mig indragen i andras familjejolm så grundligt, att jag ingen uträkning fann i att ha lösgjort mig från mitt eget dito.

Nalkades vi slutligen ämnet, och de stora frågorna, så hände oftast, att en talade i sänder, under det den andra med nedslagna ögon väntade på sin replik för att sedan få tala en stund om sitt, som icke var svar på tal utan ofta god-dag-yxskaft. Eller hände det att på ett fullkomligt demoniskt sätt alla talade på en gång, utan att någon tycktes förstå vad de andra menade.

– En babylonisk förbistring som slutade med gräl och omöjligheten att förstå varann.

– Du förstår ju inte vad jag säger! var det vanliga nödropet.

Och så var det: Var och en hade under årens lopp inskjutit nya betydelser i orden, givit nya valörer åt gamla tankar, utom det att man icke ville fram med sin allra innersta mening, vilken utgjorde ens yrkeshemlighet eller en anad framtids blivande tankar som man var jaloux om.

Varje natt jag gick hem från ett sådant kafémöte kände jag det intiga i dessa utsvävningar, där man egentligen ville höra sin röst och påtruga andra sina meningar. Min hjärna var som sönderriven eller som uppbökad och besådd med ogräsfrön som behövde krattas bort innan de grodde. Och när jag kom hem i ensamheten och tystnaden, återfann jag mig själv, svepte mig i min egen andliga atmosfär, där jag trivdes som i välsittande kläder, och efter en timmes meditationer sjönk jag ner i sömnens förintelse, frigjord från önskningar, begär, viljor.

Så småningom inställde jag mina kafébesök; övade mig i att vara ensam; återföll i frestelsen, men drog mig med varje gång mera botad tillbaka, tills jag slutligen fann det stora behaget att höra tystnaden och lyssna till de nya röster man där får höra.

II

På detta sätt blev jag så småningom ensam, endast hänvisad till det ytliga umgänget som mitt arbete nödgade mig till och som mest underhölls per telefon. Jag vill icke neka att början var svår och att tomrummet som slöt sig omkring min person pockade på att utfyllas. Genom att avklippa kontakterna med andra människor tycktes jag först förlora i kraft, men samtidigt började mitt jag att liksom koagulera, förtätas omkring en kärna, där allt vad jag upplevat samlade sig, smältes och upptogs som näringsämnen av min själ. Därjämte vande jag mig att omsätta allt vad jag såg och hörde, allt i huset, på gatan, ute i naturen, och hänförande allt jag förnam till mitt pågående arbete, kände jag hur mitt kapital växte, och de studier jag gjorde i ensamheten befanns mera värdefulla än dem jag gjorde på människor ute i sällskapslivet.

Jag har i några omgångar haft eget hem, men nu hyr jag två möblerade rum av en änka. Det behövdes en tid innan jag liksom levat mig in i dessa främmande möbler, men blott en kort tid. Skrivbordet var det svåraste att införliva och göra till mitt, ty den avlidne rådmannen måtte ha suttit där i en mansålder med sina protokoll. Han har lämnat märken efter sitt sysliga cyanblåa bläck som jag hatar; hans högra arm har slitit ut polityrn till höger, och till vänster har han limmat fast en rund skiva av vaxduk i fasliga grågula färger för lampan. Denna plågar mig mycket, men jag har beslutat att finna mig i allt, och snart ser jag icke mera den fula lappen. Sängen – ja det hade varit min dröm att få sluta på egna sängkläder – men fastän jag har råd, vill jag icke börja köpa något, ty att icke äga något, det är en sida av friheten. Ingenting äga, ingenting önska, det är att göra sig oåtkomlig för ödets värsta slag. Men att samtidigt ha pengar tillräckligt, och därigenom känna att man kan få, om man vill, det är lyckan, ty det är oberoendet och en sida av friheten.

Det hänger en brokig samling av dåliga tavlor på väggen, även litografier och kromos. Jag hatade dem först såsom fula, men snart avvann jag dem ett intresse som jag ej anat. När jag nämligen en gång under författeriet kände mig bankrutt, och en avgörande scen fattades mig, kastade jag en förtvivlad blick på väggen. Där stannade mitt öga på ett rysligt färgtryck som varit premie till någon illustrerad journal en gång i tiden. Den föreställde en bonde som stod på en brygga och höll en ko som med honom skulle över på en osynlig färja. Den ensamme mannen tecknad mot luften; hans enda ko; hans förtvivlade blickar... Jag hade min scen. Men det fanns också i dessa rum en mängd småting som endast samlas i ett hem, och som dofta av minnen, arbetade av vänliga händer, och ej köpta. Antimakassar, överkast, atennienner med glas och porsliner. Bland dessa märker jag en stor pokal med inskription, av tacksamma etcetera. Det strålar vänlighet, tacksamhet, kanske kärlek av alla dessa småsaker: och verkligen efter några dagar blott känner jag mig välkommen i dessa rum. Detta allt som varit en annans har jag fått ärva efter en död som jag aldrig känt.

Min värdinna, som strax såg att jag icke var språksam, hade takt och uppfostran, och hon lagade alltid att rummen var i ordning tills jag kom hem från min morgonpromenad, och vi hälsade endast varandra med en vänlig nick som sade allt möjligt: Hur står det till? Tackar bra? Trivs ni? Utmärkt! Det fägnar mig!

Dock efter en vecka, kunde hon icke hålla sig, utan hon måste fråga mig om jag icke önskade något; jag skulle bara säga ett ord.

– Nej, min goda fru, jag önskar ingenting, allt är mig i lag.

– Hm! Jag tänkte, jag visste ju att herrar brukar vara kinkiga...

– Det har jag vänt mig av med för länge sen!

Gumman betraktade mig med nyfikna blickar som om hon hade hört något annat om mig.

– Nå, men hur är det med maten?

– Maten? Det har jag icke lagt märke till; alltså är den förträfflig.

Och det var den! Men även hela behandlingen var utmärkt. Det var mer än omvård; jag tyckte mig omhuldad, och det hade jag aldrig erfarit förut.

Livet flöt lugnt, stilla, mjukt och vänligt, och ehuru jag var frestad ibland att språka med värdinnan, i synnerhet då hon såg bekymrad ut, övervann jag frestelsen, ty jag fruktade dels att komma in i andras trassel, dels ville jag respektera hennes livs hemligheter. Jag ville ha det förhållandet opersonligt och fann det mera i min stämning att sätta hennes förflutna i ett behagligt dunkel. Finge jag veta historien, skulle möblerna antaga en annan karaktär än jag befallt dem äga, och då skulle min väv gå sönder; stolar, bord, skänk, säng skulle börja spela rekvisita i hennes dramer som sedan kunde spöka. Nej, nu har detta blivit mitt; jag hade dragit min andes överdrag över detta, och dekorationen fick endast tjäna i mitt drama. I mitt!

*

Jag har nu även skaffat mig ett opersonligt umgänge, på ett ganska billigt sätt. Det är på min morgon-promenad jag stiftat dessa obekanta bekantskaper, som jag icke hälsar på, emedan jag icke känner dem personligen. Först möter jag majoren. Som han är majors-avsked har han pension och har följaktligen fyllt femtiofem år. Han är civil. Jag vet vad han heter och har hört några historier om honom som ung. Han är ogift, det vet jag också. Han är som sagt pensionerad och går följaktligen utan sysselsättning väntande livet ur sig. Men han går modigt sitt öde till mötes; hög och rak, med bred bringa, rocken mest uppknäppt, frimodigt käckt väsen. Mörkt är håret, svart mustaschen, spänstig gången, så spänstig, att jag alltid sträcker på mig när jag möter honom; och jag känner mig yngre då jag tänker på hans fyllda fyrtiofem. Jag har även fått ett intryck av hans ögon att han icke hatar mig, utan kanske tycker om mig. Och efter en tids förlopp, synes han mig som en gammal bekant den jag ville nicka åt. Men det finns en bestämd skillnad mellan oss: han har tjänat ut sin kapitulationstid, och jag står ännu mitt i striden och arbetar framåt. Så att det icke är värt han söker något medbrottslingsskaps sympatier hos mig. Det håller jag strängt ifrån mig. – Mina tinningar är visserligen gråa, men jag vet att de i morgon kunna vara lika gråa som hans hår, om jag ville, men jag bryr mig inte om'et, ty jag har ingen kvinna att kråma mig för. För övrigt tycker jag att hans hår ligger för slätt för att icke väcka misstankar, under det att mitt är höjt över allt tvivel.

Så har jag en annan som äger behaget att vara mig fullständigt obekant. Han är bestämt över sextio och är jämnt grå, i hår och helskägg. I början av vår bekantskap tyckte jag mig känna vissa drag i hans mjältsjuka ansikte, vissa linjer i hans figur, och jag

nalkades honom med medlidande och sympati. Han
föreföll mig ha smakat livets bitterhet i dess beskaste
form; att ha kämpat mot strömmen och blivit
nedbruten, och att han nu levde i en ny tid som vuxit
upp omärkligt och lämnat honom efter sig. Han kunde
icke släppa sin ungdoms ideal emedan de var honom
kära, och han ansåg sig vara på rätta vägen . . . arme
man! Han vet, tror han, att han gått rätt, och samtiden
gått vilse . . . Det är tragedi!

Men när jag en dag såg honom i ögonen upptäckte
jag att han hatade mig; kanske därför att han läste
deltagande i mina blickar och det var det mest sårande.
Ja, han fnös när han passerat mig. – Är det icke möjligt
därjämte att jag utan att veta det, sårat honom eller
hans anhöriga, ingripit i hans öde med ovarsam hand,
eller har jag kanske rent av känt honom en gång? Han
hatar mig, och underligt nog, jag tycker jag förtjänar
hans hat, men jag vill icke se i hans ögon mer, ty de
stickas, och göra mig ont samvete. Det är även möjligt
att vi är födda fiender, att klass, ras, börd, åsikter rest
sig emellan oss och att vi känna det. Ty erfarenheten
har lärt mig att på gatan skilja vän från fiende, ja det
finns personer, okända, som stråla fientlighet, så att
jag går över till andra trottoaren för att icke komma
dem nära. Och denna känslighet skärps i ensamheten
till en hög grad av fullkomlighet, så att till och med
om jag hör en människas röst på gatan erfar jag

antingen ett behag, ett obehag eller ingenting alls.

Så har jag en tredje. Han rider, och jag nickar åt honom; har känt honom sedan universitetet, vet vad han heter ungefär, men kan ej stava hans namn. Jag har ej talat vid honom på trettio år, bara nickat på gatan, ibland med ett igenkännandets leende, och han har ett gott sådant under sin stora mustasch. Han bär uniform, och med åren ha ränderna på mössan blivit allt flera och tjockare. Nu sist, när jag efter tio års paus mötte honom igen på hästen, hade han så mycket ränder att jag icke ville riskera en obesvarad hälsning. Men han måtte ha förstått mig, ty han höll inne hästen och ropade an: God dag, känner du inte igen mig?

Jo, det gjorde jag, och så fortsatte vi, var och en åt sitt håll, och sedan dess pågå nickningarna. En morgon såg jag en underlig, halvt misstrogen min under mustaschen. Jag visste icke om jag skulle våga tolka den ens för mig själv, så orimlig föreföll den mig. Han såg ut – ja, jag inbillade mig bara – han såg ut som om han dels trodde att jag trodde honom vara högfärdig, dels som om han undrade om jag var högfärdig. Jag? – Fallet är ju icke ovanligt, att människor underskatta sig själva, fastän de ha ryktet att bära dödssynden högmodet i hjärtskölden.

*

Så har jag ett äldre fruntimmer som promeneras av sina två hundar. När dessa stanna, stannar hon; och de stanna vid varje lyktstolpe, varje trädstam, varje gathörn. Jag tänker alltid Swedenborgskt när jag möter henne: jag tänker på människohataren som blir så ensam att han måste sällskapa med djur; och jag tänker mig henne såsom straffad medels inbillningen. Hon tror sig behärska dessa två orenliga djur, och det är djuren som tvinga henne att följa varje deras nyck. Jag kallar henne världsdrottningen eller universums beskyddarinna, emedan hon ser så ut, med nacken på ryggen och ögonlocken mot marken.

Slutligen har jag min tionde-gumma, vilken jag anser vara ockult. Hon uppträder sällan, men alltid när jag fått en större penningsumma eller när någon fara nalkas. Jag har aldrig trott på "möten" eller sådant skrock; har aldrig undvikit en gumma eller spottat för en katt; jag har aldrig sparkat efter en vän som gått till ett nytt företag med tvivelaktig utgång, utan jag har alltid utbragt ett lycka till av gott hjärta med en klapp på axeln. Häromsistens gjorde jag det med en upplyst skådespelarvän. Fräsande vände han sig om med gnistrande blickar: Säg inte så, ty då går det illa. – Jag svarade: Nej, det att man följes av någons välönskningar kan icke bringa olycka, om ock det icke gagnar. – Han vidhöll sin mening, ty han var vidskeplig som alla otrogna. Ja, de otrogna, de tro allting men baklänges. Om de drömma vackert om natten så betyder det fult; drömma de om ohyra, så betyder det

pengar till exempel. Jag däremot fäster mig icke vid
obetydliga drömmar, men får jag någon dröm som av
sig själv tränger sig på mig, så tolkar jag den direkt,
framlänges; så att en skräckdröm blir mig en varning
och en vacker dröm en uppmuntran eller tröst; och
detta rent logiskt, vetenskapligt; ty är jag ren invändigt
så ser jag rent och tvärtom. I drömmarna speglas mitt
inre, och därför kan jag begagna dem som jag begagnar
rakspegeln: att se vad jag gör, och undvika skära mig.
Samma är förhållandet mellan vissa "händelser" under
vakna tillståndet; icke alla. Det ligger till exempel
alltid papperslappar på gatan; men det är icke alla
papperslappar som fästa min uppmärksamhet. Men
gör någon det, då tar jag den i betraktande; och står
det något skrivet eller tryckt på den, som kan ha
rapport med det jag mest tänker på, så betraktar jag
det som ett uttryck av min innersta ofödda tanke, och
däri har jag ju rätt; ty förefanns icke denna tankens
brygga mellan mitt inre och detta utvärtes ting, skulle
aldrig en övergång kunna ske. Jag tror icke att någon
människa går och lägger ut papperslappar för min
skull; men det finns människor som tro det, och tanken
ligger ju nära till hands för den som endast tror på
handgripligheter och människoverk.

Emellertid, jag kallar min gumma för ockult, därför
att jag icke kan förklara varför hon uppträder just då
hon skall. Hon ser ut som en torgfru från min ungdom

eller en sådan som satt i karamellstånd, ute i fria luften. Hennes kläder se ut som aska, men de är hela och utan fläckar. Hon vet inte vem jag är, men jag kallar mig patron, troligen därför att jag var fet för tre år sen då vår bekantskap började. Hennes tacksamhet och välönskningar följa mig ett stycke på vägen, och jag hör så gärna det gamla mjuka ordet välsignelse, vilket har en helt annan klang än den hårda förbannelsen; och jag tycker jag har gott av det hela dan.

När jag en gång efter första året gav henne en sedel, väntade jag mig detta fåniga, nästan elaka uttryck som vissa fattiga få i sitt ansikte när man ger alldeles för mycket. De se nämligen ut som de trodde man inte var klok, eller som om man tagit vilse i penningpungen. En ligapojke springer alltid skrattande sin väg när han får en silverslant, som om han väntade man skulle springa efter och vilja utbyta silvret mot koppar. Men min gumma tog min hand så kraftigt att jag icke kom loss och med en ton av oändlig människokännedom frågade hon nästan jakande: – Herr patron, ni har bestämt varit fattig? – Ja, lika fattig som ni, och kan väl bli så en gång till! – Det förstod hon, och jag undrade om hon sett bättre dagar, men har aldrig velat fråga.

Detta ungefär blev mitt umgänge utomhus; och under tre års lopp följde jag dem.

Men jag hade även öppnat umgänge inomhus.

Boende fyra trappor upp har jag med dem på nedre botten inräknade fyra familjer med deras öden lagrade under mig. Jag känner ingen av dem, vet icke hur de ser ut, tror aldrig jag mött dem i trapporna. Jag ser bara deras namnplåtar, och på deras morgontidningar i dörrlåsen vet jag ungefär vars andas barn de är. Vägg om vägg med mig i ett annat hus bor en sångerska som sjunger för mig mycket vackert, och hon har en väninnan som kommer och spelar Beethoven för mig; det är mina bästa grannar, och jag skulle ibland vara frestad söka deras bekantskap för att få tacka dem för alla ljusa stunder de skänkt mig, men jag övervinner frestelsen, emedan jag tror mig veta, att det vackraste i vårt förhållande vore förbi, om vi skulle tvingas tala vid varandra banala ord. Ibland är det tyst flera dagar hos väninnorna; och då blir det mindre ljust hos mig. Men då har jag en munter granne, jag tror det är en granne i huset bredvid i en av de nedre våningarna. Och han spelar något operettaktigt, som jag icke känner till, och som är så oemotståndligt lustigt och oskyldigt skurrilt att jag nödgas le mitt i de allvarligaste tankar.

Till motvikt och som skugga är min närmaste nabo i våningen under mig hundägare. Han har en stor röd rusande galning till hund, som kommer skällande i trappan. Ägaren synes betrakta huset som sitt och oss andra som inbrottstjuvar och låter därför bevaka

trapporna av detta mönster till gård var. Kommer jag
någon gång sent hem och trevar i trappornas mörker
och jag då med foten vidrör något mjukt ludet; då är
nattens tystnad förbi och i mörkret ser jag två
fosforpärlor gnistra, och hela trappgångens snäck-
formiga rör uppfylls av ett larm – ett larm, som har
till följd att en dörr öppnas och en herre stiger ut som
förkrossar mig, mig den förorättade, med sina
ursinniga blickar. Jag ber visserligen icke om ursäkt,
men jag känner mig alltid som den skyldige, ty
gentemot hundägare är hela mänskligheten skyldig.

Jag har aldrig förstått hur en människa kan
nedlägga sina tillgivenhets- och omsorgskänslor i en
djursjäl, då det finns medmänniskor att offra på, och
i ett så orent djurs som hunden, vilkens hela tillvaro
går ut på att orena. Och min nabo inunder har hustru
och en vuxen dotter, vilkas känslor möta herrens i det
gemensamma umgänget med djuret. Familjen brukar
ha hundsoaréer, då de samlade kring salsbordet – jag
hör precis vad de sitta utan att behöva lyssna –
konversera monstret. Detta som icke kan tala, avger
sina svaromål tjutande, då hela familjen skrattar av
tillfredställelse och stolthet.

Ibland väcks jag mitt i natten av hundskallet. Jag
föreställer mig då familjens lycka att känna sig äga ett
så påpassligt och vaket djur, som till och med genom
murar och stängda fönster kan vädra nattmännens

kärra. Att en tanke på olyckliga medmänniskors störda ro skulle grumla hundägarnas lycka, det vet jag är ogrundat. Den heliga sömnens oskattbara gåva som för somliga är så dyrköpt, den respekteras icke av dessa. Jag frågar mig ibland, vad är det för slags hårdhudade människor som icke känna genom nattens tystnad hur de ur sin sömn uppväckta ligga och läsa bannor över deras huvuden! Erfara de icke hur det berättigade hatet strålar igenom deras tak och golv och väggar och manar ont över deras huvuden?

Jag vågade en gång för länge sen framställa klagomål över hundskall om natten ini en människoboning. Ägaren parerade med barnaskriket i min bostad! – Han jämförde det orena skadedjuret med ett lidande människobarn. Sen dess klagar jag aldrig mer! Men för att åstadkomma en försoning inom mig själv och få frid i mitt förhållande till människorna, ty jag lider av att hata, har jag försökt förklara dessa slags böjelser för djur som övergå motsvarande affektioner gentemot människor, men jag kan icke komma till någon förklaring. Och som allt oförklarligt verkar det hemskt på mig. – Om jag skulle filosofera med Swedenborgs metod skulle jag stanna vid: tvångsföreställning som straff. – Låt gå för det ordet tills vidare. Ty då är de olyckliga, och förtjäna medlidande som sådana.

*

Det finns en balkong till min bostad, och jag har vidsträckt utsikt över hed, sjö och blånande skogar i fjärran ut emot havskusten. Men när jag ligger på min soffa, ser jag endast luften och skyarna. Då är det som om jag vore i en ballong, högt över jorden. Men så börjar örat trakasseras av en hel mängd små ljud. Min nabo inunder telefonerar och jag hör på hans brytning att han är västgöte. Ett sjukt barn gråter nere i någons våning. Och på gatan har två personer stannat under min balkong och samtalar; och nu lyssnar jag verkligen, med diktarens rätt att avlyssna åtminstone det som talas på öppen gata.

– Ja, sir du, det kunde ju inte gå!

– Har han stängt nu då? Ja, minsann. (Jag förstod strax att det var den nya kryddboden i huset som stängts av brist på kunder.)

– Nej, det är för många om'et och så börja de i galen ända! . . . Första dagen sålde de för trettio öre; andra dagen kom det en och läste adresskalendern och den tredje dan såldes några frimärken! Ja, det är för många om'et! Ajö med dig!

– Ajö! Ska du ner i banken?

– Nej, jag ska till skeppsbron och förtulla . . .

Detta var sista replikerna i en tragedi som jag bevittnat under de senaste tre månaderna, och som avspelades i mitt hus på följande sätt.

Till vänster om min portgång började man inreda en

specerihandel. Det målades och förgylldes, lackerades och fernissades, allt under det den unge herrn då och då tog härligheten i betraktande från trottoarkanten. Han såg ut som duktig säljare, med något raskt och saftigt i sitt väsen, lite luftig kanske. Men oförskräckt och förhoppningsfull såg han ut, i synnerhet när han kom ut med sin fästmö.

Jag såg hyllfack och lådfack resa sig mot väggarna; disken med vågen stod där snart och telefonen satt i väggen. Telefonen minns jag särskilt, ty den sjöng så sorgligt i min vägg, men jag ville inte klaga, emedan jag håller på att vänja mig av med att klaga. Men så byggdes någonting ini butiken, en pan-coup, med arkad, som påminde om teater, och som med ett falskt perspektiv sökte ge illusion av något storartat.

Och så började lådorna fyllas av denna oändliga mängd ting med kända namn och utan. Det drog en hel månad. Under tiden kom ett stort måleri på den kolossala rutan, och jag läste på tredje dagen i anglosaxer: Östermalms Specerihandel.

Då tänkte jag med Sofokles:
Av gudarna den yppersta är
besinning: och därför sig vakte envar
att förnärma de Evige. Övermod,
när med svidande sår för fräckhetens dåd
det pliktat, sig lär
med åren omsider besinning.

Vilket oförstånd av den unge mannen! Att då vår

malm har mistat tvåhundra speceriaffärer, gå och basuna ut sig som ägande den enda och den verkliga! Detta är ett tilltag, ett tillgrepp och ett trampande på andra, som skola stinga dig i hälen. Övermod, övergrepp, övertro! Nåväl, boden öppnades av den nygifte ägaren. Och utställningen i fönstret var lysande, men jag bävade för hans öde. Hade han börjat med besparingar, med arv eller bara med tre månaders växlar?

De första dagarna gick som mina okända berättat under balkongen. På den sjätte dagen gick jag in att handla. Jag märkte att biträdet stod och hängde i dörren. Detta fann jag vara en taktisk blunder, ty dels vill man obehindrat glida in i en butik, dels angav det att inga kunder fanns innanför. Och därtill förstod jag att patron var borta, ute med unga frun förstås, kanske på lustresa.

Nåväl, jag trädde in och slogs med häpnad av den mise-en-scéne som var påkostad och som gav mig anledning tro att ägaren hade varit vid teatern.

När dadlarna skulle vägas fattades de icke med blotta fingrarna utan med två silkespapper – det var de stora traditionerna och lovade gott. Varorna var utmärkta och jag blev kund.

Efter några dagar var patronen hemkommen och stod själv vid disken. Han var en modern ande, det insåg jag genast, ty han försökte icke prata med mig . . . det var för gammalt! men han talade med ögonen;

aktning, förtroende, redbarhet talade hans ögon. Men så kunde han inte låta bli att spela komedi. Han blev kallad till telefon, bad mig tusen gånger om förlåtelse och gick till telefon. Nu hade han den oturen att jag var komediförfattare och studerat både minspel och replikföring. Därför såg jag på hans ansikte att det icke talades i telefonen och jag hörde på hans svar till ett fingerat tal att det var komedi.

– Jaha! – Jaha – Jaha – Jo – joo! Det skall bli! (Avringning.)

Det skulle föreställa en rekvisition. Men där fattades övergångar och avtoningar. Det var ju oskyldigt egentligen men jag tyckte inte om att vara hans narr och inte heller att vänta, därför blev jag faktiskt kritiskt stämd och började läsa på etiketter och firmornas märken i synnerhet. Utan att vara vinkännare har jag dock sedan lång tillbaka haft i minne att när det stod Cruse en fils på en butelj då var det äkta franskt vin. Nu får jag se namnet på en etikett och förvånad att finna Bordeauxvin i kryddbod slog jag mig lös och köpte en butelj för ett otroligt gott pris.

Hemkomsten gjorde jag ett par upptäckter som visserligen icke fick mig ond, men som föranledde mig att aldrig handla mer i den boden. Dadlarna som förra gången var utmärkta hade han nu uppblandat med gamla träiga, och vinet var visserligen en Cruses,

33

kanske Robinson Cruses men alls icke Cruse et fils.

Sedan den dagen såg jag ingen gå in i den butiken. Och nu börjar tragedien. En man i sin krafts dagar, full av begär att arbeta, dömd till overksamhet, och följaktligen undergång. Kampen mot olyckan som med varje stund på dagen kom närmare. Hans oförskräckhet gav vika och ett nervöst trots följde; jag såg hans ansikte genom fönstret spökigt speja efter en kund; men efter en tid gömde han sig. Det var en hemsk scen att skåda honom bakom sin arkad, rädd, rädd för att allt till och med en kunds ankomst, ty han fruktade en som ville läsa adresskalendern. Detta var det grymmaste ögonblicket, ty då måste han se leende ut och vänlig. Och biträdet hade han i början överraskat då denne med en avsnäsande åtbörd kastat fram kalendern på disken åt en fin äldre herre. Med sin något större människokännedom hade han tillrättavisat gossen med den upplysningen att kunderna börja med frimärken och adresskalendern, men han hade ännu icke själv lärt sig att goda varor är den bästa reklamen, och att med knep lurar man sig endast själv.

Upplösningen nalkades. Jag led igenom alla hans kval; tänkte på hans hustru, på det stundande kvartalet, hyran, växlarna. Slutligen förmådde jag icke gå förbi hans fönster, utan tog en annan väg. Men jag kom icke ifrån honom, ty hans telefontråd sjöng så sorgligt i min vägg, även på nätterna. Och då hörde jag sorgesånger, långa andlösa om ett liv brutet i början; förhoppningar, förtvivlan att icke kunna börja om . . . och alltid hustrun med den ofödda väntande.

Att det var hans fel hjälpte icke upp saken, ty det var för övrigt tvivelaktigt om det var hans fel. Alla dessa små knep som höra till handeln hade han fått intrumfade av sina principaler och han såg intet orätt i dem. Oförstånd! Det var orsaken, men icke skulden.

Ibland frågade jag mig vad jag hade med detta allt att göra. Man skall ha andras lidanden över sig kanske, och man får dem på sig just när man söker i ensamhet undgå dem.

Emellertid var handelsmannens öde fullbordat. Det var egentligen en lisa att se hur dörrarna stängdes, och det blev ett slut. Men när man öppnade igen och började tömma lådorna, röja hyllorna och fara iväg med alla dessa många saker som till stor del var förstörda, då var det som att se en obduktion. Som jag kände en av karlarna steg jag på, gick in i bodkammaren bakom arkaden. Här hade han kämpat. För att fördriva tiden och undkomma den rena sysslolöshetens fördömelse, hade han skrivit ut fingerade räkningar i massor. De låg ännu kvar där och var utställda på Furst Hohenlohe, Felix Faure, till och med prinsen av Wales. Denne senare hade köpt 200 kilo marmelade Russe och en låda Curry.

Det var för mig intressant att se hur mannens hjärna

arbetat ihop Felix Faures Ryska resa och Prinsen av Wales Brittisk-Indiska kök.

Där låg även en packe utskrivna annonser om "prima" kaviar, prima kaffe, allting prima, men annonserna var aldrig tryckta.

Jag förstod hur han vid pulpeten nödgats spela denna komedi för biträdet. Arme man! Men livet är långt och växingsrikt, och den mannen kommer nog upp igen!

III

Detta är slutligen ensamheten: att spinna in sig i sin egen själs silke, förpuppas och vänta på metamorfosen, ty en sådan uteblir icke. Man lever under tiden, på sina upplevelser, och telepatiskt lever man andras liv. Döden och uppståndelsen; en ny uppfostran till ett okänt nytt.

Man rår slutligen ensam om sin person. Ingens tankar kontrollerar mina, ingens tycken, nycker trycka mig. Nu börjar själen växa i nyförvärvad frihet, och man erfar en oerhörd inre frid och stilla glädje och en känsla av säkerhet och självansvar.

Tänker jag tillbaka på samlivet som skulle vara uppfostran, så finner jag nu att det endast var en samskola för laster. Att stundligen behöva se oskönt för den som äger skönhetssinne är tortyr, vilken narrar en att anse sig martyr. Att av hänsyn blunda för orättvisor uppfostrar en till hycklare. Att alltjämt, av dessa hänsyn, vänjas undertrycka sin mening gör en feg. Att slutligen för fridens skull ta på sig en skuld för saker som man icke begått, förnedrar en omärkligt, så att man en vacker dag tror sig vara en usling; att aldrig höra ett uppmuntrans ord, berövar en modet och självkänslan; och att gå och bära följderna av andras fel gör en rasande mot människor och världsordning.

Och det värsta är att man icke rår sitt eget öde, för så vitt man har god vilja att handla rätt. Vad hjälper om jag i allt söker vara tadelfri, när min partner går och suddar ner sig. Jag får minst halva skammen, om icke hela, vilket är det vanliga. Det är detta i samlivet som gör att man alltid lever i osäkerhet, erbjuder en större träffyta, ligger ute med sin person genom en annans, är beroende av en annans nyckfulla uppträdande. Och de som icke rådde, sticka handen under min väst när jag stod ensam, de ha så lätt att komma med kniven åt mitt hjärta när jag låter en annan gå och bära det kring gator och torg.

Vad jag även vunnit i ensamheten är att jag kan bestämma om min andliga diet själv. Jag behöver icke i mitt hem se fiender vid mitt bord och tigande höra smädas det som jag aktar högt; jag är icke tvingad inom mina dörrar lyssna till den musik jag avskyr; jag slipper se tidningar ligga kringkastade med karikatyrer av mina

37

vänner och mig själv; jag är befriad från att läsa böcker som jag försmår och gå på utställningar att beundra tavlor dem jag föraktar. Med ett ord, jag rår över min själ i de fall nämligen, där man någon rätt har att råda, och jag får välja mina sympatier och antipatier. Jag har aldrig varit tyrann, men har endast velat slippa tyranniseras, och det lider icke de tyranniska människorna. Däremot har jag alltid varit tyrannhatare, och det förlåter icke tyrannerna.

Jag har alltid velat framåt och uppåt, och därför haft den högre rätten mot dem som velat dra mig nedåt, och därför är jag vorden ensam.

*

Det första man i ensamheten kommer till är uppgörelsen med sig själv och det förflutna. Det är ett långt arbete, det, och är en hel uppfostran i självövervinnelse. Men det är ju det tacksammaste studium att känna sig själv, om detta är möjligt. Man visserligen anlita spegeln ibland, i synnerhet nackspegeln, ty eljest kan man inte veta hur man ser ut på ryggen.

Uppgörelsen började jag för tio år sen, då jag gjorde bekantskap med Balzac. Under läsningen av hans femtio volymer, märkte jag icke vad som försiggick inom mig, förrän jag var framme. Då hade jag funnit mig själv, och kunde göra syntesen av alla mitt livs hittills olösta antiteser. Men jag hade även genom att se människorna med hans binocle lärt mig skåda livet med båda ögonen, under det jag förut genom monoclen endast sett med ena ögat. Och han, den store trollkarlen hade givit mig icke allenast en viss resignation, en undergivenhet under ödet eller försynen som skonade mig från smärtan av de värsta slagen, utan hade även smugit på mig ett slags religion som jag skulle vilja kalla konfessionslös kristendom. Under vandringen vid Balzacs ledande hand, genom hans mänskliga komedi, där jag gjorde bekantskap med fyra tusen människor (en tysk har räknat ihop dem!) tyckte jag mig leva ett annat liv, större och rikare än mitt eget, så att jag vid slutet föreföll mig ha levt två människoliv. Men ur hans värld fick jag en ny synpunkt på mitt eget; och efter återfall och kriser, stannade jag slutligen vid ett slags försoning med lidandet, då jag samtidigt upptäckte hur sorgen och smärtan liksom förbrände själens sopor, förfinade instinkter och känslor och även skänkte högre färdigheter åt den ur den utpinade kroppen lösgjorda själen. Sedan dess tog jag livets bittra kalkar som medicin, och jag ansåg vara min plikt att lida allt – utom förnedring och ofrihet!

Men ensamheten gör en ömtålig på samma gång, och när jag förut genom brutalitet väpnat mig mot lidandet, blev jag nu mera känslig för andras smärtor, ett rov rent av för inflytelser utifrån, dock icke de dåliga. De senare bara skrämde mig och fick mig att draga mig ändå längre tillbaka. Och då söker jag ensligare promenader, där jag endast råkar småfolk som icke känner mig. Jag har en särskild väg som jag kallar via dolorosa, vilken jag begagnar när stunderna är mörkare än vanligt. Det är stadens sista gräns åt norr, och utgöres av en ensidig aveny med en husrad på ena sidan och skogen på den andra. Men för att komma dit måste jag ta en liten tvärgata, vilken har en särskild tilldragning för mig utan att jag kan säga riktigt varför. Den smala gatan behärskas nere i fonden av en stor kyrka, som lyfter och beskuggar på samma gång, utan att locka likväl, ty jag går aldrig i kyrka, emedan . . . ja, det vet jag inte. Därnere till höger är en pastorsexpedition, där jag tagit ut lysning en gång för länge sen. Men här uppe i norr står ett hus, just där gatan mynnar åt heden. Det är stort som ett slott; står på sista bergssluttningen och har en utsikt ut åt havsfjärdarna. I flera år ha mina tankar sysslat med detta hus. Jag har önskat få bo där, jag har inbillat mig att det bor någon där som haft inflytande på mitt öde, eller har det just nu. Jag ser det huset från min bostad och jag stirrar på det alla dagar, när solen lyser på det, eller när ljus är tända i det om aftonen. Emellertid, när jag går förbi det, är där något vänligt deltagande som meddelas mig, och jag liksom väntar att en dag få draga in där och få frid.

Så tågar jag ut på avenyen, där många tvärgator

mynna ut; och varje gata väcker ett minne från mitt förflutna. Som jag befinner mig på en hög ås, gå gatorna nedåt, men flera av dem slå en bukt först, bilda en ort backe som liknar jordgloben. När jag står på avenyens trottoar och ser en människa komma från backens frånsida, synes först ett huvud sticka upp ur marken, sedan skuldrorna och så hela kroppen. Detta sker på en halv minut och verkar mycket hemlighetsfullt.

Jag tittar ner i varje tvärgata i förbigåendet, och de visa alla i fjärran, antingen södra landet, slottet eller staden mellan broarna. Och samtidigt besväras jag av de olika minnena. Därnere i bottnen av detta krokiga rör som kallas ***gatan ligger ett hus, där jag för en mansålder sedan gick ut och in under det mitt öde spann sitt nät . . . Mitt emot ligger ett annat hus, där jag gick tjugu år senare under liknande förhållanden, men dock omvända och nu dubbelt pinsamma. Därnere, i nästa gata, genomlevde jag en tid, vilken i andra människors liv plägar vara den skönaste. Den var så för mig också, men på samma gång den allra fulaste; och årens fernissa kunna icke ta upp det vackra, utan det fula täcker det lilla av skönhet som fanns. Tavlor slå in med åren och färgerna förändras, icke till sin fördel dock; särskilt har det vita en benägenhet att bli smutsgult. "Läsarna" säga att det skall så vara, för att vi vid den stora skilsmässan ingenting må sakna, utan gå vår väg, nöjda med att få vända ryggen åt allsammans. När jag gått avenyen framåt, förbi de stora nya husen, börja dessa så småningom upphöra. Bergknallarna stiga upp i dagen; ett tobaksland breder ut sig; en hemslaktare har sina kåkar avskurna av en sväng på en gränd. Där står en tobakslada som jag minns från – 1859, ty jag har lekt i den. I en stuga som icke finns mer, bodde nämligen en hjälphustru, som förr varit barnjungfru hos mina föräldrar... och från den ladan föll hennes åttaåriga son ner på marken och slog sig mycket. Vi brukade gå hit för att tinga henne till de stora rengöringarna vid påsk och jul ... och jag gick för övrigt gärna de här bakgatorna till skolan för att undvika Drottninggatan. Här syntes trän och blommande örter; kor betade och höns kacklade; det var landet då! – – – Och nu sjönk jag ner i tiden tillbaka i den rysliga barndomen, då det obekanta livet låg framför och skrämde, allting tryckte och klämde! – – – Jag behöver bara vända på klacken för att få allt detta bakom ryggen igen; och jag gör det, men jag hinner ännu se i fjärran kronorna av lindarna på min barndoms långa gata och den molniga tallkonturen ute vid stadens körgård.

Jag har vändt ryggen till det, och nu, när jag ser nedåt avenyn, med morgonsolen i fjärran, över blånande berg, ute vid kusten, så glömmer jag i en sekund allt det där med barndomen, som är så intrasslat med andras, och som icke är mitt, då däremot mitt eget liv börjar därute vid havet.

Det där hörnet borta vid tobaksladan är min fasa; men det lockar mig ibland så underbart som allt pinsamt. Det är som att gå och se på väl bundna vilddjur, som icke kunna komma åt en. Och det ögonblickets njutning när jag vänder på klacken med ryggen åt alltsammans, är så intensiv att jag ibland består mig den. På den sekunden tillryggalägger jag trettiotre år fram i tiden, och jag blir glad att stå där jag står. Det var för övrigt alltid min längtan som barn "att bli gammal". Och nu tror jag att jag då hade en förkänsla av det som förestod mig, vilket också nu synes mig ha varit oundvikligt och bestämt förut. Mitt liv kunde icke bli annorlunda. Då Minerva och Venus mötte mig vid ungdomens skiljoväg, så hjälpte icke välja, utan jag följde båda, hand i hand, som vi nog gjort alla, och som vi kanske skulle.

När jag emellertid nu går med solen i ansiktet, kommer jag snart till en granskog på vänster sida. Där, minns jag, att jag gick för tjugo år sen och såg staden nedanför mig. Då var jag biltog, varg i veum, emedan jag profanerat mysterierna som Alcibiades, och emedan jag slagit ikull avgudabilder. Jag minns hur ödsligt det kändes, ty jag visste mig icke ha en vän; men hela staden därnere låg som en arm, emot mig ensam, och jag såg lägereldarna, hörde stormklockorna och visste man skulle ta mig med svält. Nu vet jag att jag hade rätt, men det att jag njöt med skadeglädje av eldsvådan jag påtänt, det var felet. Om jag bara haft en gnista medlidande med deras känslor jag sårat! Om! Men det var väl för mycket begärt av en ung man som aldrig erfarit något deltagande från de andra!

Nu erinrar jag min skogsgång som något stort och högtidligt; och att jag icke gick under då, vill jag icke tillskriva den egna kraften, ty den tror jag inte på.

*

På tre veckor hade jag icke talat vid en människa, och därigenom hade min röst liksom lagts igen, blivit klanglös och ohörbar; ty när jag tilltalade jungfrun förstod hon inte vad jag sade, och jag måste upprepa det sagda flera gånger. Då blev jag orolig; erfor ensamheten om en bannlysning; kom på den tanken att människorna icke ville umgås med mig emedan jag ratat dem. Och så gick jag ut, på aftonen. Satte mig i en spårvagn, bara för att känna det som om jag var i samma rum som andra. Jag sökte läsa i deras blickar, om de hatade mig, men läste endast likgiltighet. Jag hörde på deras samtal, som om jag var på en bjudning och hade rättighet deltaga i konversationen, åtminstone som åhörare. När det blev trångt, var det mig ett välbehag att med armbågen känna beröringen med en mänsklig varelse.

Jag har aldrig hatat människorna, snarare tvärtom, men jag har varit rädd för dem, alltsedan jag föddes. Min sällskaplighet har varit så stor, att jag kunnat umgås med vem som helst, och jag har förr tagit

44

ensamheten som ett straff vilket nog kan så vara. Ty jag har frågat vänner som suttit i fängelse varuti straffet egentligen bestod, och de ha svarat: ensamheten. Denna gång har jag visserligen sökt få vara ensam, men jag hade gjort ett tyst förbehåll; att jag skulle få lov själv söka upp mina bekanta när jag hade lust. Varför gör jag icke det? Jan kan icke; ty jag känner mig som en tiggare, när jag stiger upp för trappan och vänder om vid klocksträngen. Och när jag kommer hem, är jag nöjd, i synnerhet när jag går igenom i föreställningen vad jag tror mig ha skolat få höra, om jag kommit in i rummen bara. Som mina tankar icke gå i spann men någon annans, blir jag sårad av nästan allt vad man säger, och ett oskyldigt ord kan jag ofta känna som ett hån.

Jag tror det är mitt öde att jag skall vara ensam, och att det är till mitt bästa; jag önskar tro det, ty eljest vore det hela alltför oförsonligt. Men i ensamheten blir huvudet stundom överladdat och hotar explodera; därför måste man iakttaga sig. Jag söker alltså hålla balansen mellan utgående och ingående; måste varje dag få ett utlopp genom att skriva, och ett mottagande av nytt genom att läsa. Skriver jag hela dan, uppstår på aftonen ett förtvivlans tomrum; jag får intrycket att jag icke mer har något att säga och att jag är slut. Läser jag hela dagen blir jag så överfylld att jag vill sprängas.

Vidare måste jag avpassa tiderna för sömn och vaka. För mycket sömn tröttar på ett sätt som blir tortyr; för litet sömn retar ända till hysteri.

Dagen, den går nog, men aftonen är svår; ty detta att man känner sin intelligens slockna, är så smärtsamt som att känna sig förfalla andligen och lekamligen.

Om morgonen, efter en nykter kväll och en utsövd natt, när jag stiger ur sängen, är livet självt en positiv njutning. Det är som att stiga upp från de döda. Alla själens förmågor är nydanade, och den sammansovna kraften förefaller mångdubblad. Det är då som om jag tilltrodde mig att kunna ändra världsordningen, styra nationers öden, förklara krig och avsätta dynastier. När jag då läser tidningen, och i de utländska telegrammen ser vad som ändrat sig i den löpande världshistorien, känner jag mig precis ini nuet, där världen befinner sig just i detta ögonblick. Jag är "en samtida", och förnimmer det såsom om jag i min ringa mån varit med om att forma denna nutid genom samarbetet i det förflutna. Därpå läser jag om mitt land, sist om min stad.

Sedan i går har världshistorien gått framåt. Lagar ha ändrats, handelsvägar ha öppnats, tronföljder ha rubbats, statssystem förnyats. Människor ha dött, människor ha fötts, och människor ha gift sig.

Sedan i går har världen förändrat sig, och med en

ny sol och en ny dag har det kommit nytt, och jag känner mig själv förnyad.

Jag brinner av trängtan att sätta mig i arbete, men jag måste ut först. När jag kommer ner i porten, vet jag numera strax vilken väg jag skall taga. Icke allenast solen, molnen och temperaturen säger mig det, utan i min känsla har jag en barometer och termometer som angiva hur jag har det ställt med världen.

Tre vägar har jag att välja på. Den leende vägen ute på Djurgården, den folkrika Strandvägen och gatorna, samt den ensliga via dolorosa jag nyss skildrat. Jag märker strax vart det bär. Har jag harmoni inom mig, då känner jag luften mjuk emot mig, och jag söker människor.

Då går jag på gatorna i folkvimlet och har en förnimmelse att jag är vän med dem allesammans. Men är det något på sned, då ser jag bara fiender med hånande blickar, och deras hat är ibland så starkt att jag måste vända om. Söker jag då landskapet vid Brunnsviken och ekbackarna kring Rosendal, kan det hända att naturen är instämd med mig, och då lever jag som i mitt eget skinn. Detta landskap har jag inmutat, vuxit samman med, och fått till att vara fond åt min person. Men det har humör det också, och det finns morgnar då vi icke är ens. Då har allting ändrat sig: björkarnas äreportar har blivit ris, hasselbuskarnas trolska lövsalar dölja icke de vältaliga hasselkäpparna;

eken sträcker sina knotiga armar hotande över mitt huvud och jag känner det som ok eller lokträn över min hals. Denna oöverensstämmelse mellan mig och mitt landskap, spänner mig så att jag vill gå sönder och fly. Och när jag då vänder och får se södra landet med hela den praktfulla stadskonturen känner jag mig som i främmande fiendeland, och jag själv är en turist som ser detta för första gången, är övergiven som främlingen vilken icke har en bekant innanför dessa murar.

När jag emellertid kommer hem och sitter vid skrivbordet, då lever jag; och de krafter jag hämtat ute vare sig av disharmoniernas strömslutare, tjäna mig nu till mina olika ändamål. Jag lever, och jag lever mångfaldigt alla de människors liv jag skildrar; är glad med de glada, ond med de onda, god med de goda; jag kryper ur min egen person, och talar ur barns mun, ur kvinnors, ur gubbars; jag är konung och tiggare, jag är den högt uppsatte, tyrannen och den allra föraktadste, den förtryckte tyrannhataren; jag har alla åsikter, och bekänner alla religioner; jag lever i alla tidevarv och själv upphört att vara. Detta är ett tillstånd som ger en obeskrivlig lycka.

Men när detta upphör vid middagstiden, och skrivandet är slut för den dagen, blir min egen tillvaro så pinsam att jag känner det som det ledde mot döden alltefter som kvällen framskrider. Och kvällen är rysligt lång. Andra människor bruka efter dagens arbete få en förströelse i samtal, men jag får ingen. Tystnaden sluter sig omkring mig; jag försöker läsa, men orkar icke. Då går jag på golvet och ser åt klockan om hon skall bli tio. Och slutligen blir hon tio.

När jag då befriar kroppen från kläderna med alla dess knappar, spännen band och knäppen, tycks mig själen liksom hämta andan och känner sig friare. Och när jag efter mina österländska tvagningar kommit i sängen, då töjer sig hela tillvaron; viljan till livet, kampen, striden upphör; och sömnlusten liknar bra mycket mycket längtan till döden.

Men jag mediterar först en halv timme, det vill säga jag läser i en andaktsbok som jag väljer efter sinnesstämningen. Ibland har jag en katolsk; den medför en fläkt av den apostoliska, traditionella kristendomen; det är som latin och grekiska; det är anorna; ty med katolska kristendomen börjar vår, min, kultur. Med romerska katolicismen känner jag mig som romersk medborgare. Europeisk stads-borgare; och de inflätade latinska verserna erinra mig att jag har bildning. Jag är icke katolik, har aldrig varit, ty jag kan icke binda mig vid en bekännelse. Därför tar jag ibland en luthersk gammal bok, med en stump för var dag i året; och den begagnar jag som gissel. Den är skriven på 1600-talet då människorna hade det ont på jorden. Därför är den rysligt sträng, predikar lidandet som en välgärning och en nådegåva. Högst sällan har han ett gott ord; kan bringa en till förtvivlan, men därför kämpar jag mot honom. "Det är icke så," säger jag mig, och detta är bara att fresta sina krafter på. Katoliken har nämligen lärt sig, att frestaren uppträder i sin fulaste roll, då han vill bringa människan till förtvivlan, och beröva en hoppet; men hoppet är en dygd för katoliken, ty att tro Gud om gott är religionens kärna; att tilltro Gud ont är satanism.

Ibland tar jag till en underlig bok från 1700-talets upplysningsperiod. Den är anonym, och jag kan icke säga om den är skriven av en katolik, lutheran eller kalvinist, ty den innehåller kristen levnadsvisdom av en man som känt världen och människorna och som även är en lärd och en diktare. Han brukar säga mig just vad jag behöver för dagen och stunden. Och när jag upprest mig ett ögonblick mot hans orättvisa och orimliga fordringar av en dödlig, kommer författaren strax efter med mina invändningar. Han är vad jag kallar en resonabel karl, som ser med båda ögonen och som fördelar rätt och orätt på var sin sida. Erinra något om Jakob Böhme, som fann allting innehåller ja eller nej.

Vi stora tillfällen måste jag taga till bibeln. Jag äger flera biblar från olika åldrar; och det synes mig som det icke stod detsamma i dem; som om de ägde olika strömstyrka eller förmåga att göra intryck på mig. En, i svart karduan, tryckt med Schwabach på 1600-talet har en oerhörd kraft. Den har tillhört en prästfamilj, vars stamtavla står skriven på insidan av pärmarna. Det är som om hat och vrede ackumulerats i denna bok; och den bara bannar och straffar; hur jag vänder bladen kommer jag alltid till Davids eller Jeremias förbannelser över fienden, men dem vill jag icke läsa, ty det synes mig okristligt. Till exempel när Jeremias beder: "Så straffa nu deras barn med hunger, och låt dem i svärd falla, att deras hustrur och änkor utan barn bliva, och deras män ihjälslagna etc." Detta är icke för en kristen människa. Väl kan jag förstå, att man ber Gud om skydd mot fienderna som vilja draga en neråt, när man strävar uppåt, mot fienderna, som av ondska beröva en brödet. Jag förstår också, att man kan tacka Gud när ens fiende är slagen, ty alla folk ha sjungit Te Deum efter vunnen seger, men att nerbedja specificerade straff över motståndare, det vågar jag icke; och jag kan nog säga mig att det som passade Jeremias eller David den gången icke passar mig nu. Men så har jag en annan bibel, i kalvskinn med guldpressning från 1700-talet. Det står naturligtvis detsamma i den som den förra, men innehållet presenterar sig på ett annat sätt. Denna boken ser ut som en roman, och vänder mest den vackra sidan till; själva papperet är ljusare, typografin gladare, och låter tala vid sig såsom Jehova när Moses vågar göra föreställningar som är ganska vresiga. Till exempel: när folket knorrat ånyo, och Moses är trött på

51

alltsammans, så vänder han sig till Herren nästan förebrående: "Haver jag nu allt detta folket avlat eller fött, att du må säga till mig: bär dem på dina armar såsom en amma bär ett barn . . . Var skulle jag nu taga kött det jag allt detta folket giva skulle . . . Jag förmår icke allt detta folket uppehålla allena, ty det är emot mig, så slå mig hellre ihjäl . . ." Jehova svarar, icke ovänligt, på anmärkningarna, och föreslår till Mose hjälp väljandet av de sjuttio äldsta. Detta är ju icke den obeveklige, hämndgirige guden från gamla testamentet. Och jag grubblar icke över det; jag vet bara att jag har tider, då gamla testamentet är mig närmare än nya. Och att bibeln, för oss födda i kristendomen, har en uppfostrande kraft, det är säkert, om därför att våra förfäder i den boken inlagt psykiska krafter på samma gång den hämtat, vore svårt att säga. Helgedomar, tempel och heliga böcker äga faktisk denna kraft som ackumulatorer, men endast för de troende, ty tron är mitt lokalbatteri utan vilket jag icke får det stummaste pergament att tala. Tron är min motström som väcker kraft genom influens; tron är rivtyget som elektriserar glasskivan; tron är recipienten, och måste vara ledare, eljest blir intet mottagande; tron är mediets uppgivande av motståndet, varigenom rapport kan inträda.

Därför är alla heliga böcker stumma för den otroende. Ty den otroende är en steril, hans ande är så pasteuriserad att intet växer i den; han är negationen, minus, en imaginär kvantitet, baksidan, saprofyten som icke lever av sig själv utan på rötterna av det växande; han saknar självständig tillvaro, ty för att kunna negera, måste han ha det positiva att negera emot.

Slutligen finns det ögonblick då endast något buddhism hjälper. Det är ju så sällan man får vad man önskar; vad gagnar då att man försöker? Önska ingenting, begär ingenting av människorna och livet, och du skall alltid tycka dig ha fått mer än du kunnat begära; och du vet av erfarenhet, att när du fått vad du önskat, så var det mindre det önskade än själva uppfyllelsen som skänte glädjen.

Ibland frågar någon inom mig: tror du på detta? Jag nedtystar genast frågan, ty jag vet att tron endast är ett själens tillstånd och icke någon tankeakt, och jag vet att detta tillstånd är mig hälsosamt och uppfostrande.

Det händer dock att jag reser mig mot de orimliga fordringarna, de alltför stränga kraven, de omänskliga straffen, och då lämnar jag för en tid mina andaktsböcker; men jag återkommer till dem snart, manad av en ropande röst från urtid: "Kom ihåg att du haver varit en träl i Egypten och Herren din Gud haver dig därifrån löst." Då tystnar min opposition, och jag skulle känna mig som en otacksam feg lymmel om jag skulle förneka min räddare inför människor.

Det våras igen för – gången. (Man nämner ogärna
siffror när man nått en viss ålder.) Men det våras på
ett annat sätt nu än för en hop år sedan. Förr började
förvandlingen med att isgatan höggs upp, vid
påsktiden ungefär. Då såg man hela vinterns
avlagringar såsom en geologisk formation med alla
dess skikt. Nu får det icke bildas isgata; slädar och
bjällror och slädnät är sällsynta, varav man får den
föreställningen att klimatet ändrats till ett medel-
europeiskt sådant liksom tiden. Förr, då sjöfarten
avstannade på hösten och inga järnvägar fanns,
befann man sig i karantän; provianterade med salt-
varor för vintern, och kände när våren kom ett upp-
vaknande till nytt färskt liv. Nu har isbrytare och
järnvägar utjämnat årstiderna och man har blommor,
frukter och grönsaker hela året om.

Förr tog man ut innanfönstren, och då hörde man
strax bullret från gatan i rummen som om man
återinträtt i förbindelse med yttervärlden. Det dova,
mjuka lugnet inomhus upphörde, och man väcktes till
nytt liv inte minst genom det insläppta ljuset. Nu
lämnas dubbelfönstren kvar hela året, men i ersättning
öppnar man sina oklistrade fönster hela vintern vid
förefallande behov.

Med dessa utjämningar glider våren inpå en och

kommer icke med sådan apparat som förr; hälsas
därför också utan vidare entusiasm.

Jag tog emot denna vår som ett faktum och utan
stora förhoppningar. – Det är vår; alltså är det snart
höst igen! – Jag satte mig på min balkong och såg på
skyarna. Det syns på dem att det är vår. De samla sig
i större massor, de är tätare och mera avgjorda i
linjerna; och när himlen syns i en vak eller råk är den
nästan svartblå. Men jag har ett skogsbryn i fjärran.
Det är mest tall och gran; det är svartgrönt, taggigt
och utgör för mig det mest egendomliga av svenska
naturen, och jag pekar på det och säger: där är Sverige.
Detta skogsbryn kan se ut som en stadskontur med
dess oändliga mängd av skorstenar, spiror, tinnar,
småtorn och gavlar. Men i dag ser jag det som skog.
Som det blåser, är jag ju säker att hela denna hop av
smärta träd måste röra på sig, men jag kan ej se det på
en halv mils avstånd. Jag tog därför min kikare, och
nu såg jag hela grankonturen röra sig som vågorna i
en havshorisont, vilket beredde mig ett stort nöje, i
synnerhet som det föreföll mig vara en liten upptäckt
också. Min längtan går nog ditåt, ty jag vet att havet
ligger där bakom; jag vet att det växer blåsippor och
vitsippor vid dessa trädens fötter, men jag har mera
nöje av att se dem i föreställningen än i verkligheten,
ty jag har för länge sedan vuxit ifrån den naturen som
i stenriket, växtriket och djurvärlden tar sitt uttryck.

Det som intresserar mig är människonaturen och människoödet.

Förr kunde jag försjunka i åskådandet av en blommande fruktträdgård; nu tycker jag också det är vackert, men icke så vackert. Och jag vill försöka förklara det med att hos mig uppstått an aning om det finns fullkomligare urbilder till dessa bristfälliga avbilder. Någon längtan till landet har jag därför icke, ehuruväl en svag motvilja mot staden börjar att yppa sig, mera dock som ett behov av förändring.

Jag vandrar därför mina gator; och när jag ser människors ansikten väcker detta minnen, ger mig tankar. Och går jag förbi bodfönstren ser jag så många föremål från alla jordens länder, frambragta eller förädlade av människohänder att de liksom sätta mig i förbindelse med hela mänskligheten och ge mig en rikedom av intryck, som färg, form och närliggande föreställningar.

På morgnarna när rummen på en nedre botten städas står ett fönster öppet; jag går förbi, men stannar naturligtvis icke; dock i ett ögonblick har jag fått en översikt över ett för mig främmande rum och därav ett stänk av ett människolivs historia. I dag på morgonen till exempel fick jag kasta en blick genom en dragruta in i ett äldre hus, förbi en apsidistra, denna fula liljeväxt från Japan vilken icke sätter blomman i ljuset utan lägger av den direkt från roten nere i jordbrynet lik några köttflisor klippta i stjärnform. Förbi denna kom jag över ett skrivbord med nyttiga och tråkiga tillbehör in i en kakelugnsvrå, där det stod en fyrkantig vit kakelugn; denna var från äldre tid, och varje kakel var omgivet av en sorgkant som svarta naglar; den hade stora luckor för nischen och stod i en vrå som var mörk av de obeskrivligt dunkla tapeterna. Jag fick först 1870-talet med dess mörker i rummen, men jag fick även en abstrakt vantrevnad från ett halvburget småborgerligt hem, från människor som hade det strängt och svårt och som plågade sig och varandra. Och så väcktes ett minne från ett gammalt hem, vilket jag aldrig skulle erinrat om icke denna draglucka stått öppen. Nu kom ett länge förgätet öde upp och jag såg det i en ny intressant dager; jag förstod nu först dessa människor när jag tänkte på dem, så långt efteråt, förstod deras sorgespel som jag förr höll ifrån mig, emedan det syntes mig pinsamt och smått. Hemkommen lade jag upp dramat. Och det hade jag fått genom en dammlucka!

Går jag på aftnarna, då mörkret fallit och ljus är tänt, så blir mina bekantskaper rikare, ty jag kan se in i de övre våningarna också. Jag studerar då möblemang och inredningar, och får familjeinteriörer, scener ur livet. Folk som icke släppa ned gardinerna är särskilt anlagda för att visa sig och jag behöver därför icke bry mig med någon grannlagenhet. För övrigt tar jag ögonblicksbilder och arbetar ut det sedda efteråt.

En afton gick jag sålunda förbi en vacker hörnvåning med stora fönster och såg . . . Jag såg möbler och ting från 60-talet, kroaserade med gardiner från 70, portiärer från 80 och antiennsaker från 90. I fönstret stod det en urna av alabaster, gulnad som elfenben av människors andedräkter, suckar, vinångor, tobaksrök, en urna utan bruk och gagn och som någon slutligen destinerade till visitkortsamlare. En askurna att ställa i en gravhög med namn på vänner som kommit och gått, på släktingar som levde och var döda, på förlovade och gifta, döpta och begravna. Där var många porträtt på väggarna, från alla åldrar och tidevarv, hjältar i harnesk, vise i peruker, andlige i prästkragar. I ett hörn framför en divan stod ett spelbord; och kring detta satt fyra underliga gestalter och spelade kort. De sade ingenting, ty läpparna rörde sig ej. Urgamla var tre, men en man var halvung; det var nog mannen i huset. Men mitt i rummet satt en ung kvinna med ryggen vänd åt det spelande och hon var lutad över en virkning. Hon arbetade visserligen men utan intresse; tycktes ta upp tiden bara, maska för maska, mätande sekunderna med nålen. Så lyfter hon arbetet och betraktar det som om hon ville läsa av tiden på ett ur; men hon såg ut över tiden och arbetet och in i framtiden – och då löpte hennes blickar ut

58

genom fönstret, förbi askurnan, och de mötte mina
därute men utan att kunna se dem. Jag tyckte att jag
kände henne, att hon talade till mig med ögonen, men
det gjorde hon naturligtvis inte. En av mumierna vid
bordet, sade då något. Kvinnan svarade med en gest
av nacken dock utan att vända sig, och liksom störd i
sina tankar eller röjd, lutade hon huvudet djupare än
förut och lät sin sekundvisare gå. Aldrig har jag sett
ledsnaden, ledan vid allt, tröttheten vid livet så
kondenserad som i detta rum.

Mannen, vid spelbordet, vars ansikte ändrade
uttryck oupphörligt, syntes vara orolig över något,
vänta något, och mumierna kände samma oro. De
kastade nämligen då och då en blick på vägguret, vars
långa visare nalkades en heltimma. Det väntades
sannolikt någon; någon som skulle förjaga ledsnaden,
ändra ödena därinne, bringa nytt med sig. Kanske
vända upp och ned på hela livet här. Liksom
upphängda vid denna fruktan vågade man icke hänge
sig åt spelet, utan lade ut korten provisoriskt, såsom
om man väntade bli avbruten när som helst, man
dröjde icke vid en min eller åtbörd; därav kom sig detta
mannekängartade i rörelserna.

Såväl, det som skulle ske skedde. – "Vilken tur!"
tänkte jag då portiären rörde sig och en jungfru med
vit mössa trädde in och anmälde någon. Det flög en
livsgnista in i alla de innevarande, och den unga

kvinnan vände sig ett halvt varv under det hon reste sig. I detsamma slog vägguret så att jag hörde det ut på gatan och jag såg hur minutvisaren skuttade fram mot heltimman.

Då fick jag en knuff av en förbigående; väcktes så häftigt att jag bokstavligen kände mig kastad ut på gatan, ut ur detta rum, där jag varit med min själ under långa två minuter, levat en bråkdel av dessa människors liv. Jag fortsatte skamsen min väg; ämnade först vända om för att se fortsättningen, men åtrande mig vid tanken: slutet vet jag förut, emedan jag varit med om detsamma själv i flera omgångar!

*

Våren kom, på ett sätt som liknar det från fordom, men icke på samma sätt. Förr var det första lärkan på gärdet, men nu finns inga lärkor mer på lärkvägen, utan det är bofinken i Humlegården och stararna i Fågelbacken som är avgörande. Men det som är sig likt är aprilflyttningen. Det har alltid förefallit mig hemskt att se möbler och husgeråd på trottoaren. Det är husvilla människor som nödgas visa sina inälvor, och de blyges för dem; därför ser man aldrig ägaren i närheten bevakande sina tillhörigheter. Han låter hellre främmande folk taga hand om tillhörigheterna som utställa sina brister i dagsljuset. Denna soffa med bord framför gick an hemma i svag belysning, men mitt i solskenet synas fläckar och revor, och att det fjärde benet var löst gjorde ingenting därinne; men härute har det fallit ur.

Ser man ett ansikte bakom ett stående flyttlass, är det bekymrat, förtvivlat, upprivet. Men det skall väl flyttas och resas; ryckas upp, skakas om, förnyas, vändas ut och in. Jag som aldrig gjort annat än flyttat och rest, återfick nu, då jag satt i lugn, mina intryck från mitt kringflackande liv, och dessa förtätade sig i en dikt som jag kallat Ahasverus.

AHASVERUS

Ahasverus, upp och vandra!
Tag din ränsel och din stav;
ej ditt öde liknar andra,
ty dig väntar ingen grav.
Vagga fick du och en början,
men du får ej något slut,
evigt skall du trampa sörjan,
många skor få nöta ut.
Me'n du väntat på Messias,
tiden gått dig helt förbi;
tror du än skall befrias,
hoppas du på amnesti?
Eller vill du som Elias
levande förlossad bli?
Ut på stigar, ut på vägar

ut ur dina varma rum;
läggs för fäfot dina tegar,
störtat som Kapernaum
är ditt hus, och hemmet härjat;
maka, barn sitt avsked sagt;
intet efter branden bärgat,
tomt och tilja öde lagt.

*

Spring upp på tåget med ränsel och stav
men se dig icke tillbaka.
Välsigna honom som tog och gav
och lärt dig konsten försaka!
Där står ingen frände och ingen vän
att vinka dig lycka på färden!
Vad gör det! Dess lättare sen
att göra språnget ut i den kalla världen!

Och tåget rycks loss från bangårdens kä,
en rullande länga med hus av trä,
en vandrande by med folk och fä. – –
Där är post och värdshus och magasiner,
och sovrum bakom de tjocka gardiner.
Nu rycker den fram som en stad på hjul,
oemotståndligt! Den går genom väggar,
den slinker genom berg som ormen i skjul,
den går på vattnet, och eldhästen gnäggar;
en tar ett landskap med sjumilasteg;

ett konungarike är närsgårdsväg – –
Men landet tar slut, man står vid havet –.
Nu Ahasverus släpper du land,
och allt som förr dig vid livet band
det ligger bak synkretsen djupt begravt.

*

Se skyarna hur tunga de gå
och sjöarna de svallande,
de stigande, de fallande,
där foten intet fäste kan få
och ingen vila mer du kan nå.
Ej dag, ej natt, ej sovande, ej vakande;
än upp, än ner, än hit och än dit,
allt under sus och gnissel och knakande,
i rep och timmer, bultar och nit.
Tortyr för kropp, tortyr för själ,
ett pinoredskap på vattnet flytande.
Bekänn din skuld och tänk på ditt väl,
när du hör bränningens rytande!
Då är ej långt till räddande strand,
du tror! Men skepparn fruktar för land,
och lägger bogen rätt ut i sjöarna;
han flyr den sökta frälsande hand
och vänder rygg till de lugna öarna;
ty falsk är sjön, men saltare luft!
När medvind blåser med liv och lust
då har du att vänta den hårdaste dust. –

Till havs! Lägg ut på det gröngråa fältet,
där skeppet plöjer och regnmolnet sår,
men intet växer i plogens spår
och ingen bor under himlatältet.
I dag det liknar en presenning sydd
till värn mot regnet som alltjämt ökar.
En ann skulle mena den är till skydd
för himlens blå emot ångornas rökar,
mot jordens damm och flugornas prickar,
eller som skärm mot de ondas blickar.

*

Ahasverus står i stäven,
spanar mot den gråa vägg,
ögat dävet, knuten näven,
munnen vass i vitnat skägg, –
Inga syner ser han hägra,
minnena ha slocknat ut,
hoppet självt det synes vägra;
leva måste han i nu't,
detta nu som är en plåga,
 utan mening, utan mål,
svarslöst som en galen fråga,
dött som flintan utan stål.
Allt i gråa intet stirrar
vandrarn fängslad på ett däck,
mattslö ner i djupet stirrar,
känner sig som trängt i säck.

V

Efter många bakslag har våren äntligen kommit, och
när lindarna på avenyen en morgon slagit ut, då är det
högtidligt som en fest att vandra under det gröna ljuset
som faller så gott i ögonen. Luften står still och idel
vänlighet, fötterna röra vid torr fin sand, som ger en
känsla av renlighet. Det nya gräset döljer fjolårslöv,
skräp och smuts alldeles som första snön gör om
hösten. Trädskeletten fyllas ut, och slutligen står den
höga lövskogsfonden som en grön molnvägg över
vikens stränder. Förr jagad av köld och vind, kan jag
nu gå steg för steg, till och med sitta på en bänk.
Strandkanten under almarna är garnerad med bänkar,
och där sitter numer den gule mannen, min okände
ovän och läser tidningen med uppknäppt rock. I dag
såg jag, just på hans tidning, att vi är ovänner. Och jag
tyckte mig läsa i hans blick när den lyftes över bladet,
att han läste något om mig som gjorde honom gott i
själen, och han trodde antingen att jag redan fått giftet
i mig eller skulle få. Men han misstog sig, ty jag tar
aldrig i det bladet.

Majoren har magrat och synes orolig för
sommaren. Vart han skall fara, är honom nog lik-
giltigt, men han måste ut ur stan för att icke bli alldeles
ensam och känna sig som proletär. Han stod i morse
på en udde och tycktes räkna de små böljorna som

pjollrade med stenarna; han slog med käppen i luften utan avsikt, bara för att göra något. Plötsligen hörs från andra sidan viken en trumpetsignal. Han rycker till och – nu ser han på gärdet en kavalleriskvadron dyka upp bakifrån en kulle med kaskar och hästöron först. Därpå rides en chock så att marken dånar, och under rop, hojt och skrammel vältar den ordnade massan framåt. Majoren levde upp, och jag såg på hans svängda hjulben att han varit kavallerist; kanske var det hans regemente – från vilket han nu var en avsutten, ute ur leken. Ja, sådant är livet!

Min ockulta gumma är lika sommar och vinter, men denna vinter har tagit på henne och hon har anlagt en käpp; för övrigt uppenbarar hon sig endast en gång i månaden och hör till sällskapet, liksom världsdronningen med hundarna.

Men nu har med solen och våren nya vandrare inträngt i vår krets och jag känner dem som obehöriga. Så ledigt har egendomsbegreppet vuxit ut, att jag erfar det som om min morgonpromenad i detta landskap vore min tillhörighet. Jag ser verkligen snett på dem, ty i min inåtvända sinnesstämning vill jag icke träda i kontakt med människor genom att växla en blick. Denna slags intimitet fordra dock människorna, och de tala med ovilja om "en som inte ser åt folk". De tycka sig ha rättighet att få se in i den de möta, men jag har aldrig förstått var de tagit denna rätt ifrån. Jag känner det som ett intrång, ett slags våld på min person, en närgångenhet åtminstone, och jag märkte som ung en bestämd skillnad på folk, vilkas blickar man fick och vilkas man icke fick. Nu förefaller det mig, som om växlandet av en blick på gatan med en okänd betydde: låt oss vara vänner och därmed nog! Men med somliga av utmanande miner kan jag icke förmå mig ingå detta tysta vänskapsförbund; jag vill ha det neutralt eller i nödfall fientligt, ty en vän får alltid något inflytande över mig, och det vill jag inte.

Detta intrång gäller lyckligtvis endast våren, ty med sommaren ha de främmande rest till landet och då är vägarna lika ensliga som på vintern.

Och nu har den efterlängtade sommaren kommit. Den föreligger som ett fullbordat faktum och är mig vorden likgiltig, ty jag lever i mitt arbete och framom mig själv, ibland bakom mig, i minnena, och dessa kan jag behandla som bitarna i en bygglåda. Med dem kan jag sätta ihop alla slags; och samma minne kan tjäna till allt möjligt i en fantasibyggnad, vända olikfärgade sidor uppåt, och som antalet sammanställningar är oändligt, får jag under mina lekar ett intryck av oändligheten.

Någon längtan till landet har jag icke, men ibland kommer det över mig som en försummad plikt att jag icke går i skog och mark eller badar i havet. Därtill en viss underlig skamkänsla att jag är i staden, ty sommarnöjet är ett prerogativ som anses höra till den samhällsklass andra hänför mig till – själv räknar jag mig utanför samhället. Det känns dessutom något ödsligt och övergivet, då jag vet att alla mina vänner lämnat staden. Jag sökte dem visserligen icke då de var kvar, men jag kände att de fanns; jag kunde skicka mina tankar till dem på en viss gata, men nu har jag förlorat spåret.

Sittande vid mitt skrivbord ser jag mellan gardinerna en vik av Östersjön; på andra sidan en strand med gråsvarta klippor, rundslipade, och nere i vattengången den vita strandlinjen; ovanpå klipporna den svarta granskogen. Ibland grips jag av längtan ditut. Men då tar jag bara min kikare, och utan att röra mig ur fläcken är jag där. Jag vandrar i strandstenarna, där ibland rentvättade gärdsgårdsstörar, vasspipor och halm det växer gul lysing och rött fackelblomster under alarna. I en rämna i berget på svedlavar och kartlavar trycker ormbunken baggsöta lik murgröna; några enbuskar rekognosera i kanten och så ser jag djupt in i granskogen, särskilt om aftonen då solen står lågt. Då är där ljusgröna salar med mjuka levermossor, lätt underskog av aspar och björkar.

Ibland sker det något levande därborta, men sällan dock. En kråka går och plockar, eller låtsas plocka något, ty hon ser tillgjord ut, men jag märker att hon tror sig osedd av människor. Att hon koketterar för någon av sitt släkte är däremot säkert.

En vit slup kommer sakta strykande; det sitter någon till rors bakom storseglet, men jag ser bara armbågen och knäna; bakom fock sitter ett fruntimmer; båten glider så vackert, och när jag ser svallet om stäven tycker jag mig höra detta smärtstillande porl, något man oupphörligt lägger bakom sig, och som alltid förnyas, detta något som utgör hemligheten i seglingens njutning, frånsett den att regera vid rodret, kämpande mot vind och våg.

En dag fick jag in i kikaren en hel liten scen. Stenstranden där borta i fjärran hade ännu aldrig (i kikaren) trampats av någon dödlig, och den var min tillhörighet, min ensamhet, mitt sommarställe. Då såg jag en afton en ökstock träda in från högra sidan om glaset. I båten satt en tio års flicka, ljusklädd med röd tennishatt. Jag tyckte först jag sade: Vad har du där att göra, men det orimliga i situationen återhöll mig.

Flickan landade nätt, drog upp ökstocken, och så steg hon åter i båt, hämtade upp något som blänkte i ena ändan. Jag blev nyfiken, ty jag kunde icke bestämma föremålets natur. Skruvade lite på synröret och såg att det var en lätt handyxa. – – – En yxa i handen på ett barn? Dessa två begrepp kunde jag icke strax förena, och därför verkade det hemlighetsfullt, nästan hemskt. Flickan gick först i stranden och letade något, som man brukar när man går i stränder; letar något oväntat, som man hoppas den outgrundliga sjön skall ha lämnat ifrån sig. – Nu, sade jag mig, skall hon börja kasta sten, ty barn kunna aldrig se stenar och vatten utan att kasta stenar i vattnet. Varför? Ja, det har väl några hemliga orsaker det också. – Mycket riktigt! Hon kastade stenar! Därpå äntrade hon klippan! – Nu skall hon äta baggsöta naturligtvis, ty hon är stadsbarn och har gått i folkskolan. (Bondbarn äta aldrig baggsötan som stadsbarnen kalla stensöta eller lakritsrot.) – Nej, hon gick förbi ormbunkarna, och var alltså (?) ett landsbarn. – Hon nalkades enbuskarna, Då gick det upp ett ljus för mig. – Hon skall hugga enris; och det stämmer, för det är lördag i dag. – Nej: hon gjorde visserligen ett utfall mot en enbuske, så att en gren blev hängande, men hon gick vidare. – Hon skall hugga kaffeved! Där ha vi det! – Nej, hon klättrade vidare och nådde skogsbrynet. Där stannade hon och syntes ta mått på de nedra grenarna, vilka var särdeles lummiga och friskt gröna! – – – I detsamma gjorde hon en rörelse med huvudet och följde sedan något föremål i luften, som – jag såg det på rörelserna – måste vara en fågel som flög upp, ty hon böjde halsen i samma staccatoknyckar som sädesärlan brukar när hon flyger, och vars flykt liknar ett periodiskt fallande.

Så börjar hon då visa sina avsikter, ty hon fattar

med vänstra handen en gren och hugger riset, smått, smått! – Men varför granris? Det hör ju endast till begravningar, och barnet är icke sorgklätt? – Invändes: Hon behöver ju icke vara i släkt med den döde! – Erkännes! – Riset är för smått till viskor eller till att ligga på förstugukvisten; och på stuggolvet har man hos oss endast enris! – Kanske är hon född i Dalarna, där man begagnar gran i stället för en? – – – Lika mycket! – Nu sker något nytt! Tre alnar ifrån flickan lyftas de nedre grenarna på en stor gran; en ko sticker fram sitt huvud och ger hals – det ser jag på den öppnade mulen och den bakåt lagda nacken. – Flickan stannar i gesten och hennes kropp blir styv av fasa. Men hennes förskräckelse är så stor att hon icke kan fly; kon skrider framåt; barnets fruktan framkallar en omkastning av strömmen och blir till mod; med lyftad yxa går hon emot djuret, som efter någon tvekan och med harm över en oförstådd vänlighet, vänder in i sina mörka gömslen.

Ett ögonblick hade jag verkligen uppskrämd gjort en åtbörd till barnets försvar; men nu var faran över, och jag lade bort kikaren med en betraktelse över svårigheten att få vara i fred. – Tänk! Att i sitt lugna hem dras in i sådana här dramer i fjärran! Och sen förföljas av grubblerier över vad granriset skulle vara till!

*

Mina grannar i huset ha flyttat till landet och jag känner att det är tomt i våningarna; erfar det som om en spänning hört upp. Dessa koordinater av krafter som i varje familj finnas till under formen av en man, hustru, barn och tjänare, dessa viljekomposanter är icke mera kvar i rummen; och huset som alltid föreföll mig som ett elektricitetsverk varifrån jag hämtade ström, har upphört att ge mig kraft. Jag faller ihop som om kontakten med mänskligheten vore avbruten; alla dessa små ljud från de olika våningarna stimulerade mig, och jag saknar dem; själva hunden som väckte mig till nattens meditationer eller ryckte upp mig till en hälsosam vrede, har lämnat ett tomrum efter sig. Sångerskan har tystnat och jag får icke höra Beethoven mer. Telefonen i väggen sjunger icke heller, och när jag går i trapporna hör jag mina steg ge eko i de tomma våningarna. Det är söndagstyst hela veckan och det börjar i dess ställe ringa i mina öron. Mina egna tankar förnimmas som talade ord; jag tycker mig stå i telepatisk rapport med alla frånvarande vänner, fränder och fiender; jag håller långa ordnade samtal med dem, eller tar om gamla resonemang hållna i sällskap, på kaféer; jag bekämpar deras meningar, försvarar min ståndpunkt, är mera vältalig än inför åhörare. Jag finner livet rikare och lättare på detta sätt; det skrubbar mindre, sliter mindre, och förbittrar icke.

Ibland utvidgas detta tillstånd så att jag inträder i meningsstrid med hela nationen; jag känner hur man läser min sista bok som ännu ligger i manuskript; jag hör hur man diskuterar mig nära och fjärran, jag vet att jag har rätt, och förvånas bara över att de icke inse det. Jag meddelar ett nyupptäckt faktum, och man förnekar det, eller ratar källan, gör auktoriteten tvivelaktig, ehuruväl man eljest citerar samma auktoritet. Alltid erfar jag det som strid, angrepp, fientligt. Fiender är vi nog alla, och vänner endast när det gäller att strida tillsammans. Det skall väl så vara!

Dock, detta invärtes liv, hur levande det än är, låter mig ibland sakna verkligheten, ty mina sinnen som ligger obegagnade längta efter bruk. Jag vill höra och se framför allt, eljest börjar sinnena operera på egen hand, av gammal vana.

Och nu var icke min önskan uttalad förrän den uppfylldes. Gärdet nedanför mina fönster börjar fyllas med trupper. Först infanteri; det är människor med metallrör som innesluta gasbildande ämnen, vilka vid antändning kasta ut blybitar. De ser ut som streckar kluvna nedtill. Därpå uppträda rörliga kombinationer av människor och fyrfota djur; det är kavalleriet. När en ensam ryttare kommer sprängande, gör hästen samma rörelse som en båt på vågen och karlen sitter till rors men styr med skotet i vänster hand. Kommer skvadronen däremot i sluten kolonn, då är det en väldig kraftparalellogram som verkar på avstånd med flera hundra hästkrafter.

Starkaste intrycket gör dock artilleriet i synnerhet när det kör i kapp; då gungar marken så att min taklampa skallrar, och när man sedan bröstar av och lossar skotten, upphör min öronringning av sig själv. Innan jag blev van, kände jag det som ett övervåld, men efter några dagars skjutning fann jag smällarna rätt hälsosamma, emedan de hindra mig att slumra in i den eviga tystnaden. Och på det vederbörliga avstånd jag har krigslekarna förefaller de som skådespel, vilka uppföras för min räkning.

*

Aftnarna bli allt längre, men jag vet av erfarenhet att man icke kan gå ut, ty gator och parker är befolkade av sorgsna människor som icke fått resa till landet. När nu det bättre lottade utrymt stadens finaste platser, kryper förstädernas fattiga befolkning fram och intar ledigheterna. Detta ger staden ett utseende av uppror, intrång, och som skönheten nog följer med rikedomen, är skådespelet icke vackert.

En söndagsafton, kännande mig själv i jämnhöjd med de sämre lottade, beslöt jag rycka mig lös, och åka en promenad, för att se på folket.

Jag vinkade en droska vid Nybron och steg i. Kusken föreföll nykter, men något ovanligt i hans ansikte lugnade mig åtminstone icke. Han körde Strandvägen framåt, och jag märkte att en ström av människor flöt fram på vänstra sidan, under det jag

74

stadigt såg ut över vattnet åt höger, över holmar och fjärdar och blånande berg.

Plötsligt händer något föröver som ådrog sig kuskens uppmärksamhet och min. En stor fattig-manshund, med tovig päls, liknande en fet varg som försöker se ut som ett får, låg panna, onda ögon och så smutsig att färgen icke kunde bestämmas, följer framhjulen och gör en ansats då och då för att kasta sig upp på kuskbocken. Ett tag lyckas han komma upp, men blir nedsparkad av kusken.

– Vad är det för en? frågade jag förvånad både över monstrets vighet, och över det sällsamma i äventyret.

Kusken svarade något, varav jag förstod att det icke var hans hund, men när han lät piskan gå, skred hunden till anfall och ville in till mig i åkdonet, och detta under full gång. Samtidigt märker jag en rörelse i folkströmmen, och när jag vänder mig ditåt upp-täcker jag en procession av människoliknande väsen som följde hundens och kuskens strid med avgjort deltagande för hunden som hade orätt. När jag granskade dessa varelser, fann jag ett övervägande antal krymplingar; kryckor och käppar växlade om med krokiga ben och brutna ryggar; dvärgar med jätteryggar, och jättar med dvärgars underreden; ansikten som saknade näsor, och fötter utan tår slutande i klumpar. Det var en samling av allt elände som under vintern gömt och nu krupit fram i solen för att draga ut till landet. Jag har sett sådana människoliknande varelser återgivna i Ensors ockulta larv-scener och på teatern i Glucks Orfeus nere i underjorden, och trodde då det var fantasier eller överdrifter. Dessa skrämde mig ju icke, ty jag kunde förklara deras närvaro och uppträdande just nu, men det verkade likafullt uppskakande att få se de vanlottade i en sådan revy defilera på staden finaste gata. Jag kände även deras berättigade hat spruta gift över mig som åkte i droska, och deras hund gav uttryck åt deras samlade känslor. Jag var deras vän, men de var mina fiender! Så sällsamt!

När vi åkte in på Djurgården, möttes denna ström av en motström; men de båda strömmarna rann igenom och förbi varandra, utan att granska varandras toaletter eller ansikten, ty de visste nog med sig att de var alla lika, men på mig såg de. Nu då jag hade två led att passera, måste jag se åt ena eller andra sidan och jag blev beklämd, kände mig övergiven, och greps av en längtan att få se ett bekant ansikte; jag tyckte det skulle vara lugnande få en igenkännandets eller vänskapens blick ur ett öga, men fann intet.

När vi passerade Hasselbacken, lät jag en tanke gå uppför trappan och göra en titt in i trädgården, där jag nästan var säker att någon av de mina skulle sitta.

Men nu nalkades Slätten, och då kom det för mig att här måste jag just möta den personen, måste!

Varför kunde jag ej säga, men det måtte ha stått sammanhang med en mörk tragedi från min ungdom, vilken ödelade en familj och sträckte sina verkningar på barnens öde. Hur jag sammanband detta sorgespel med Djurgårdsslätten kan jag icke bestämt säga, men det måtte ha skett genom förmedling av ett positiv med "tavla på stång" föreställande ett mord under hemska omständigheter, där den mördade var oskyldig men fick skuggan på sig, för att icke säga skulden.

Vad händer? Jo; mannen ifråga, det vill säga sonen, numera gråhårig, ogift, högt aktad, kommer gående med sin vithåriga mor under armen! Trettiofem års oförtjänt inre lidande för en annan hade givit ansiktena denna särskilda blekhet som är dödens. Men varför gick dessa rika och aktade människor här i denna omgivning? Kanske de lydde den allmänna attraktionskraften som drar lika till lika, kanske de fann en tröst i att se andra som lidit mera och lika oförskylt.

Att jag väntade få att se dem, har väl sina hemliga grunder förborgade i själens djup, men därför lika starka och bindande.

På slätten visade sig nya former av elände. Där kom barn på cyklar, barn om åtta, tio år, med elaka ansikten, lillgamla småflickor med spår av tillämnad skönhet som vanställts av ondska. Även där ett vackert ansikte fanns, syntes en felteckning, ett falskt avstånd,

77

en för stor näsa, ett blottat tandkött, utkrupna ögon som inkräktade på pannan.

Längre fram förtunnades massorna och små grupper hade lägrat sig på gräset. Men här föll mig i ögonen att tre och tre satt tillsammans, två karlar kring en kvinna; första akten i ett herdespel som slutar med knivens tragedi.

Här började kusken tilltala mig och dukade upp historier. Icke det att han var närgången stötte mig, ty han förstod icke bättre, men att han störde mig in i mina tankar plågade mig; och när han med sina upplysningar om vissa förbiåkande damer, ledde mina tankar åt håll dit jag icke ville, kände jag honom som en plågoande, och bad honom köra hem.

Mera ledsen än sårad av befallningen vände han, vid er korsväg, men i samma ögonblick svängde en droska framför oss innehållande två berusade damer av högst äventyrligt utseende. Kusken gjorde ett försök att komma förbi dem, men lyckades ej för trängseln. Sålunda måste jag åka bakom detta parti; och när de stannades av hopen, måste jag stanna, så att det fick ett utseende av att jag förföljde dem, vilket roade damerna obeskrivligt och även folket på vägen.

På detta sätt fortfor gatloppet in till staden, tills jag slutligen stannade vid min port, då jag var befriad som ur en svår dröm.

– Hellre då ensamheten! sade jag mig, och det var

sista gången jag gick ut en afton den sommaren. Ensam i sitt eget sällskap som man då måste vårda för att icke råka i dåligt.

*

Jag håller mig alltså inne och känner det lugnt; föreställer mig vara fri från livets stormar; önskar mig vara litet äldre för att icke känna livets lockelser, och tror det värsta vara överståndet.

Så kommer en morgon vid kaffebordet husets jungfru och förtäljer: Herr X:s son var här, men jag sa att herrn icke var uppstigen.

– Min son?

– Ja, han sade så!

– Det är omöjligt! Men, hur såg han ut?

– Han var lång, och . . . han sa att han hette X. och skulle komma igen.

– Hur gammal såg han ut?

– Det var en ung herre om sjutton, aderton år.

Jag blev stum av fasa och flickan gick. Det var alltså icke slut! Det förflutna steg upp ur graven som var så väl igenskottad och bevuxen med redan gammalt gräs. Min son som rest till Amerika i vederbörligt sällskap vid nio års ålder; och som jag trodde vara ute i livet, placerad! Vad hade då hänt? Naturligtvis en olycka, eller flera.

Hur skulle återseendet bli? Det fasans igenkännandets ögonblick, då man förgäves söker de

välbekanta dragen från barnets ansikte, dessa drag
som man varit med om att från vaggan uppfostra till
det mänskligaste. Man sökte ju inför sitt barn endast
lägga till den vackra sidan, och därigenom tog man
fram reflexer av sitt bästa i detta bildbara barnaanlete,
som därför älskade som en bättre upplaga av sitt eget.
Nu skulle det återses vanställt, ty den uppväxande
ynglingen är ful med sina missproportioner i dragen,
med denna hemska blandning av barnets över-
människa och ynglingens vaknande djurliv, med
andtydningar om passioner och strider, skräck över
det okända, ånger över det redan prövade; och detta
ständiga ostyriga grin åt allt; hat mot allt som låg över
och tryckte, hat mot de äldre följaktligen, mot det
bättre lottade; misstro mot hela livet som nyss
förvandlat ett harmlöst barn till en rovgirig människa.
Jag kände ju detta av erfarenhet, och minns hur
avskyvärd jag var som yngling, då alla tankar mot ens
vilja bara spelade omkring mat och dryck och råa
njutningar. – Icke behövde jag se detta igen, då jag
visste det förut, och var oskyldig till det sak-
förhållandet som låg i naturens ordning. Och klokare
än mina föräldrar hade jag aldrig begärt något igen av
min son; uppfostrat honom till fri människa och
upplyst honom från början om hans rättigheter vid
sidan av hans skyldigheter mot livet, sig själv och
medmänniskorna. Men jag visste han skulle komma

med utsträckta rättigheter i det oändliga, fastän hans rättigheter gentemot mig upphört, då han var femton år. Och att han skulle grina, när jag talade om hans skyldigheter, det visste jag också ... av egen erfarenhet.

Om det bara var hjälpt med pengar, ginge väl an, men han skulle även fordra min person, fastän han föraktade mitt umgänge. Han skulle fordra det hem som jag icke ägde; mina vänner som jag saknade, mina relationer som han trodde mig äga, och begagna mitt namn till krediter.

Jag visste han skulle finna mig tråkig; att han skulle komma med åsikter från ett främmande land med en annan världsåskådning, ett annat sätt i umgänget; att han skulle behandla mig som en gammal förlegad kanalje om ingenting begrep, emedan jag icke var ingenjör och elektriker.

Och hur hade hans karaktärsanlag utvecklat sig under dessa år? Erfarenheten hade visserligen lärt mig att sådan man är född förblir man tämligen oförändrad livet igenom. Alla dessa uppsättningar av människor jag sett från barndomen tåga fram genom livet var i regel sig lika vid femtio år, med mycket små förändringar. Många hade visserligen undertryckt en del bjärta egenskaper, otjänliga för samlivet; en del hade dolt dem under en lätt polityr, men de var i botten desamma. Hos undantagen hade vissa egenskaper eller karaktärsdrag vuxit ut, hos somliga uppåt till dygder, hos andra nedåt till laster. Jag minns sålunda en, vars fasthet växte ut till envishet, vars ordningssinne blev pedanteri, vars sparsamhet blev snålhet, vars kärlek till mänskorna blev hat till omänskorna. Men jag minns även en, vars bigotteri stannade som fromsinne, vars hat blev överseende, vars envishet blev fasthet.-----------

Sedan jag grubblat, gick jag ut på min morgonvandring, icke för att slå bort det pinsamma, utan för att sätta mig in i det oundvikliga. Jag genomgick mötets alla tänkbara lägen. Men när jag kom till frågorna om vad som hänt efter vårt avsked tills nu, bävade jag och tänkte fly ur staden, ur landet. Dock, erfarenheten hade lärt mig att ryggen är den ömtåligaste sidan, och bröstet blivit skyddat av stora bensköldar avsedda till försvar; därför beslöt jag stanna och ta emot stöten.

Sålunda härdande mina känslor, anläggande en praktisk världsmänniskas halvtorra betraktelsesätt, gjorde jag upp programmet. Jag skulle sätta honom i ett pensionat sedan jag klätt upp honom; utfråga vad han ville bli; genast få honom anställd och i arbete, men framför allt behandla honom som en främmande gentleman som hölls på avstånd genom frånvaro av förtrolighet. Och för att skydda mig för hans närgångenhet, skulle jag icke låtsas om det förflutna, icke ge några råd, lämna fullkomlig frihet, då han ju säkert inga råd ville följa.

82

Avgjort alltså! Och uppgjort!

Klar och samlad vände jag hemåt, dock i fullt medvetande att en förändring inträtt i mitt liv, och en så våldsam, att vägarna, landskapet och staden antagit ett nytt utseende. När jag så kommit mitt på bron och såg uppåt avenyen, mötte mina blickar en ynglings gestalt jag skall aldrig glömma den stunden. Han var lång och mager; gick med dessa obeslutsamma steg som en väntande och sökande. Jag såg att när han forskat ut mitt utseende och just kände igen mig, en darrning först överföll honom, och att han strax därpå tog sig tillsammans, sträckte upp sig och sneddade avenyen, hållande kursen rakt på mig. Jag satte mig i försvarstillstånd, hörde mig anslå en lätt gladlynt ton när jag hälsade honom "god dag, min gosse!"

Nu, när vi nalkats varandra ett stenkast, märkte jag detta deklasserade, nerstigna som jag fruktat mest av allt. Hatten var icke hans; den satt som passad efter en annans huvud; byxorna föll illa, och knät satt för långt ner; det hela såg avsigkommet ut . . . inre och yttre förfall; typen: en kypare utan plats. Nu kunde jag urskilja ansiktet, som var magert på detta obehagliga sätt; nu ser jag ögonen, dessa stora blåa med blåvitt omkring. Det var han!

Denna förfallna upprända yngling var en gång ett änglabarn, som kunde le så att jag slopade hela apteorin och arternas härledning; var en gång klädd som en prins och lekte med en verklig liten prinsessa nere i Tyskland...

Hela livets rysliga cynism gick upp för mig, men utan en skymt av självanklagelse, ty jag hade icke övergivit honom!

- - -

Nu skiljas vi endast av några steg! - Ett tvivel stiger upp: det är icke han! Och i samma sekund har jag beslutat gå förbi, överlämnande åt honom att ge igenkänningstecknet.

Ett! Två! Tre! - - - - -

Han gick förbi!

Var det han, eller var det icke? frågade jag mig under det jag styrde hemåt, säker att han skulle infinna sig under alla förhållanden!

Hemkommen kallade jag in jungfrun för att utfråga henne ytterligare, men nu för att få veta om det var han, den jag nyss gått förbi; dock det var icke möjligt att få visshet, utan jag hölls i en väntans spänning ända till middagen. Ibland önskade jag han kom genast för att få ett slut; ibland föreföll situationen så utnött, att jag trodde det var överståndet.

Middagen var förbi; eftermiddagen gick; och nu fick jag en ny synpunkt på saken, som förvärrade den. Han hade trott att jag icke ville hälsa på honom, och hade skrämd därav dragit sig undan; gick omkring i villande stad, främmande land, och kom i dåligt sällskap; kanske bragt till förtvivlan. Var skulle jag söka honom nu? I polisen!

Sålunda pinades jag, utan att veta varför då jag icke haft ett bestämma över hans öde. Och jag kände det som en elak makt försatt mig i denna falska belägenhet för att få skuld på mig.

Så blev det slutligen kväll. Då kom jungfrun in med ett kort på vilket stod tryckt namnet på - - - min brorson!

- - -

När jag så blev ensam igen, erfor jag ju en viss lättnad att den överståndna faran upplöst sig i inbillningar, vilka dock för mig haft samma verkan som något upplevat. Men dessa fantasier hade trugat sig på mig med en nödvändighet som var oemotståndlig och som måste äga någon grundorsak. Kanske, sade jag mig, gick sonen långt borta i främmande land och var ett rov för liknande förnimmelser; kanske han var i nöd, längtande efter mig, "såg" mig på en gata, såsom jag "sett" honom, slets av samma ovisshet.. .

Därmed avklippte jag alla grubblerier och lade händelsen till handlingarna bland andra upplevelser; men jag strök icke ut den som något gäckeri, utan behöll den som ett dyrbart minne.

Därmed avklippte jag alla grubblerier och lade händelsen till handlingarna bland andra upplevelser;

men jag strök icke ut den som något gäckeri, utan behöll den som ett dyrbart minne.

Aftonen blev svårmodig, men lugn. Jag arbetade icke, utan vandrade med blickarna då och då urets visare. Klockan blev slutligen nio; men jag såg med fasa mot den långa sista timmen som återstod. Den föreföll mig så lång som oändligheten och jag visste intet sätt att förkorta den. Ensamheten hade jag icke valt; den hade påtvungits mig, och nu hatade jag den som ett tvång; jag ville ha ett utbrott, jag ville höra musik, något av de stora, av den största som lidit hela livet . . . jag längtade efter Beethoven särskilt, och jag började väcka till liv i mitt öra den sista satsen i månskenssonaten som för mig blivit det högsta uttrycket av mänsklighetens sucktan efter befrielse, och som icke någon dikt i ord kunnat uppnå!

Skymningen hade fallit; fönstret stod öppet; blommorna på salsbordet ensamt erinrade mig om att det var sommar, där de stod i ljusskenet tysta, orörliga, doftande.

Då hörde jag, tydligt, skarpt som om det skedde i rummet bredvid, det väldiga allegrot – av månskenssonaten rulla upp sig som jättefresk; jag såg och hörde på en gång; men osäker om det var villa, greps jag av denna rysning som fattar en inför det oförklarliga. Musiken kom nämligen från de okända välgörarinnorna i huset bredvid, och de var på landet!

Men de kunde ju ha kommit in i något ärende! Lika gott; här spelades för mig; och jag mottog faktum med tacksamhet, kännande mig ha sällskap i ensamheten, och vara i förbund med likstämda människobarn.

Om jag nu bekänner, att samma allegro togs om tre gånger under den långa timmen, så förefaller ju saken ändå mera oförklarlig, men den skänkte mig just därför ändå större nöje; och att icke något annat stycke spelades fattade jag som en särskild nåd.

Slutligen slog klockan tio, och den goda, barmhärtiga sömnen gjorde slut på en dag som jag länge skall minnas.

VI

Sommaren har krupit fram till första augusti; lyktorna tändas och jag hälsar dem. Det är höst, alltså har det gått framåt, och det är huvudsaken; något är tillryggalagt, och något ligger framför. Staden ändrar utseende; man kan se ett bekant ansikte, och det lugnar, stöder och tryggar. Jag kan även få tala ett ord, och det är nytt för mig, så nytt, att min stämma av brist på övning har lagts ned i registret och fått en dov beslöjad klang, vilken förefaller mig själv som en främmandes.

Skjutningen på gärdet har upphört; de från landet hemkomna grannarna flytta åter in; hunden skäller igen, natt och dag, och familjens soaréer börja på nytt, varvid underhållningen består i att ett ben kastas utåt salsgolvet, då hunden med skarpt skällande springer efter benet och morrar när familjen vill beröva honom det.

Telefonen arbetar och pianospelet går sin gilla gång. Allt är sig likt, allt kommer igen, utom majoren, vars dödsannons jag läste i dag på morgonen. Jag saknar honom såsom hörande till min krets, men jag unnar honom väl hans öde, ty han hade tråkigt sedan han tjänat ut sin kapitulationstid.

Hösten raskar undan och livet ökar fart med den friskare luften som är lättare att andas. Jag går åter ut om aftnarna och sveper mig i mörkret som gör mig osynlig. Detta förkortar kvällen och gör nattsömnen tyngre och längre.

Vanan att omsätta det upplevda i dikt öppnar säkerhetsventilen för överskott av intryck och ersätter behovet att tala. Upplevelserna få uti ensamheten en anstrykning av avsiktlighet, och mycket av det som händer förefaller satt i scen enkom för mig. Sålunda blev jag en afton vittne till en eldsvåda i staden, men samtidigt hörde jag vargarnas tjut från Skansen. Dessa två ändar av olika trådar knöts ihop i min inbillning, sattes i sammanhang och vävde sig med tillbörlig ränning till en dikt.

VARGARNA TJUTA

Vargarna tjuta på Skansen,
isarna råma på sjön,
furorna knaka i backen,
tyngda av första snön.

Vargarna tjuta i kölden,
hundarna svara från stan;
solen går ner efter middan,
natten börjar på dan.

Vargarna tjuta i mörkret,
gatornas lyktor sitt ljus
sända som norrsken i höjden
över de hopar av hus.

Vargarna tjuta i gropen,
nu de fått blodad tand,
längta till fjäll och urskog,
när de se norrskensbrand.

Vargarna tjuta på berget,
tjuta sig hesa av hat,
människorna gav dem för frihet
tukthus och celibat.

*

Vinden vilar, stillhet råder, stadens tornur slagit tolv!
Tysta slädarna på föret glida som på bonat golv.
Sista spårvagnsklockan klingat, ingen hund på gatan
hörs
staden sover, lyktor släckas, ej en kvist på träden rörs;
nattens himmel snart som sammet välver sig oändligt
djup.
Högt Orion svärdet svänger, Karlavagnen står på stup.
Eldarna i spisen slocknat, blott i fjärran står en rök;
ur en skorstensobelisk den stiger som utur ett jättekök;
det är bagarn som om natten reder oss ett dagligt bröd.
- - -
Röken stiger, blåvit, lodrätt; men – just nu den färgas
röd.
Det är eld!
Det är eld! Det är eld! Det är eld!

Och ett rödglödgat klot stiger upp som en måne i fyllet;
och det glödande rött går i vitt och i gult och slår ut
som en solros ur hyllet.
Är det solen, som går upp bland de kolsvarta moln
utur
husmassors hav?
där vart tak är en kam på en våg, som är svart
lik en grav.
Nu står himlen i brand, varje torn och kupol uti stan,
varje spira och stång, varje gränd, varje prång stå

så ljust som på dan!
Varje kabel och tråd utav toppar blir röd som på
harpan
de lågstämda basar.
På fasaderna ses varje ruta i eld, och de snötäckta
skorstenar lysas som kaser.
Svarten sol eller måne det är! Ingen lusteld beställd!
Det är eld! Det är eld! Det är eld!

Men på berget som nyss uti nattmörker låg, där är
ljust,
där är liv.
Ifrån vargarnas gropar stiger ett tjut som de
stuckits med kniv,
utav hat, utav hämnd; det är mordbrännarlust, det är
mördarefröjd.
då ett skallande skratt ifrån rävkulan går, man är glad,
man är hemsk, man är nöjd.
Och i björnarnas bur, där dansas på häl vid ett grymt
som av slaktade svin,
men i lodjurets gryt är det tyst och man ser blott ett
tandraders skinande grin.

*

Och sälarne ropa sitt ve! Ve över staden!
Rop som av drunknande på havet.
Och alla hundarna tjuta i kör;
gläfsa, vinsla och skälla,

rycka i kedjorna, kedjorna,
sjunga, gråta och gnälla
som osaligas andar!
De hava medlidande, endast de, hundarna,
med sina vänner mänskorna –
vilken sympati!

Nu vakna änglarna, nordanskogens furstar,
de samla och reda sina långa skänklar,
sträcka ett trav i en begränsad volt
inom kättens stängsel,
Törna mot gärdselstängerna
som sparv mot ruta;
böla oförståendes,
undrande om det är dag igen. —
En ny dag, som alla de andra,
lika dödande lång
utan annat synligt ändamål
än att följas av en natt. – – –

Då blir det liv i fågelvärlden;
örnarna skrika och flaxa,
fresta de nötta vingarna,
pröva en lönlös höjdflykt,
stöta huvudet mot järnstänger,
bita i galler, klösa, slänga,
tills de falla på mullen,

och bli liggande lama,
med släpande vingar som på knä –
knäböjande, bönfallande
om en nådastöt,
som återger dem åt luften
och friheten.

Falkarna vissla och ila
som fjädrande pilar – hit och dit;
vråkarna jämra sig
som sjuka barn. – – –
De tama vildgässen vaknat
och sätta an med spända halsar
ett ackord av vallhjonslurar. –

Svanorna simma stumma
snappa mellan isflaken
efter de speglande eldflammorna,
som ila likt guldfiskar
på dammens yta;
stanna stilla och sticka huvudena
ner i det svarta vattnet –
de vita svanorna –
bita sig fast i botten
för att slippa se på
hur himlen brinner opp.

Det mörknar åter, brandkårsluren
har vigt in tystnad över stad och land;
ett rökmoln sträcks över stadskonturen
som bilden av en svart ofantlig hand.

*

Mitt umgänge inskränker sig numera till det
opersonliga genom böckerna. Balzac, vars femtio
volymer har varit min läsning under de sista tio åren,
har för mig blivit en personlig vän, som jag aldrig
tröttnat vid. Han har visserligen aldrig gjort något
man kallar konstverk, nu i synnerhet då man förväxlat
konst med litteratur. Allt hos honom är konstlöst; man
ser aldrig kompositionen och jag har aldrig märkt hans
stil. Han leker icke med ord, figurerar aldrig med
onödiga bilder, vilka för övrigt tillhöra "poesien",
men han har däremot en så säker formkänsla, att
innehållet alltid får det klara uttryck som jämt täckes
av ordet. All grannlåt försmår han, och verkar direkt
omedelbart som en berättare i ett sällskap, vilken
ibland refererar en händelse, ibland inför personerna
talande, ibland kommenterar och förklarar. Och allt
är för honom historia, hans nutidshistoria, varje liten
person visar sig i sin samtids belysning, och har
därjämte sin uppkomsthistoria, och gör sin utveckling
under den och den styrelseformen, vilket utvidgar
synkretsen och sätter en fond bakom varje figur. När

94

jag tänker på allt oförståndigt som skrivits om Balzac
av hans samtida så häpnar jag. Denne troende,
godtroende, fördragsamma man kallades i min
studietids läroböcker för en obarmhärtig fysiolog,
materialist, och dylikt. Men mera paradoxalt ändå, är
att fysiologen Zola hälsade Balzac som sin store lärare
och mästare. Ho kan fatta det? Men samma för-
hållande äger rum med min andre litteräre vän,
Goethe, som i senare tider blivit begagnad till alla
möjliga ändamål, mest till det fåniga undergrävandet
av hedendomen. Goethe har ju många stadier på livets
väg; genom Rousseau, Kant, Schelling, Spinoza, når
han fram till en egen ståndpunkt som kunde kallas
upplysningsfilosofiens. Han har löst alla frågor; allt är
så enkelt och klart, att ett barn kan fatta det. Men så
kommer en tidpunkt då de panteistiska förklaringarna
på det oförklarliga tryta. Allt förefaller sjuttioåringen
så egendomligt märkvärdigt obegripligt. Det är då som
mystiken träder fram och själva Swedenborg anlitas.
Men intet hjälper; utan andra delens Faust böjer sig
för allmakten, försonar sig med livet, blir filantrop
(och mossodlare), halv socialist, och apoteoseras med
alla katolska kyrkans apparater från yttersta-tings-
läran.

Första delens Faust som i brottningen med Gud
framgått som en segrande Saulus, blir i andra delen en
slagen Paulus. Detta är min Goethe! Men fastän var

och en har sin, kan jag icke förstå var man finner hedningen, om icke i några okynniga verstumpar där han klatschar efter prästerna; eller om det skall vara i Prometheus, där den fjättrade gudasonen lika väl kan betyda den korsfäste, vilken hånar den utdömde Zeus vanmakt.

Nej, det är hela Goethes liv och därpå grundade diktning som tilltalar mig. Det var en äldre vän till skalden som i hans uppväxt gav honom nyckeln till hans författeri: "Din strävan, din rätta riktning är att ge en poetisk bild av verkligheten; de andra sökte förverkliga det så kallade poetiska, det imaginativa, men det skapar bara dumheter."

Så förtäljer Goethe i Aus meinem Leben, på ett ställe; på ett annat säger han själv: "Och så började jag denna riktning, ifrån vilken jag aldrig svika, nämligen att i en dikt eller bild förvandla allt som gladde eller smärtade mig, eller eljest sysselsatte mig, och däröver med mig själv förhandla, för att både beriktiga mina begrepp om verkligheten och att bringa ordning och lugn i mitt inre. Att äga denna gåva behövde ingen bättre än jag, vars natur alltjämt kastade mig från den ena ytterligheten till den andra. Allt vad jag utgivit är sålunda fragment av en enda stor bikt, vars fullständigande är denna bok (Aus meinem Leben)."

Behaget av att läsa Goethe ligger för mig i den lätta hand varmed han tar på allt. Det är som om han icke kunde på fullt allvar fatta livet, antingen det saknade fast verklighet, eller icke förtjänande vår grämelse och våra tårar. Vidare hans oförskräckthet varmed han nalkas de gudomliga makterna, med vilka han känner sig befryndad; hans förakt för former och konvention; hans brist på färdiga åsikter; hans stadiga växande och föryngrande; varigenom han alltid är den yngsta, alltid i spetsen, före sin tid.

Man har alltjämt och ännu ställt Goethe som motsättning mot Schiller och av de två skapat ett antingen – eller, liksom man gjort med Rousseau och Voltaire. Jag kan icke finna detta alternativ, utan har plats för både, emedan de komplettera varandra; jag kan icke med ord angiva skillnaden mellan dem, icke ens formellt, ty Schiller har mera formkänsla, särskilt i dramat, och han lyfter vingarna lika högt som Goethe. Bådas utveckling är ett samarbete, och de övade inflytande på varandra. Därför har den enda sockeln i Weimar plats för båda, och när de räcka varandra handen, kan jag icke finna någon anledning skilja dem.

*

Det är vinter igen; himlen är grå och ljuset kommer nerifrån, från markens vita snö. Ensamheten står bra i ton med naturens skendöd, men ibland blir det för tungt. Jag längtar efter människor, men jag har i ensamheten blivit så ömtålig som om min själ vore hudlös, och jag är så bortskämd med att få styra mina tankar och känslor, att jag knappt kan uthärda beröringen med en annan person; ja varje främmande som nalkas mig verkar kvävande genom sin andliga atmosfär, vilken liksom tränger in på min. Emellertid, en kvällstund inträder flickan med ett visitkort, just då jag längtade efter sällskap, och var beredd att ta emot vem som helst, även den mest osympatiska. Jag blev glad vid åsynen av kortet, men när jag läste på det, mörknade jag, ty det var ett främmande namn. – Lika gott, sade jag mig, det är en människa i alla fall! – Han får komma!

Efter en stund inträdde en ung man, mycket blek, mycket odeciderad, så att jag icke se till vilken samhällsklass han hörde, så mycket mindre som hans dräkt icke följde kroppens konturer. Men han var starkt avslutad och självmedveten; höll sig dock på försvarssidan, avvaktande. Efter att ha sagt mig några artigheter som verkade avkylande på mig, gick han rakt på saken och bad om en hjälp. Jag svarade att jag ogärna hjälpte vilt främmande, emedan jag ofta hjälpt orätt person. Här upptäckte jag ett rött ärr i pannan, över hans vänstra öga, och som framträdde blodrött i detta ögonblick. I detsamma blev mig mannen hemsk; men i nästa ögonblick fattades jag av medlidande med hans djupa förtvivlan, och seende mig själv i en

98

liknande situation, med vinternatten framför mig, ändrade jag beslut. För att icke förlänga hans lidanden överlämnade jag summan och bad honom sitta ner.

När han stoppade in pengarna såg han mera förvånad än tacksam ut, och han tycktes helst vilja gå, då ärendet var uträttat. För att börja, frågade jag varifrån han kom. – Då betraktade han mig häpen och stammade fram: "Jag trodde att mitt namn var bekant." Detta sade han med en viss stolthet som stötte mig, men då jag bekände min kunnighet, tog han till ordet, lugnt, värdigt.

– Jag kommer, sade han, från fängelset.

– Fängelset? (Nu blev han intressant, ty jag höll just på med en brottslingshistoria.)

– Ja; jag hade behållit tjugo kronor som icke var mina. Principalen förlät mig, och allt var glömt. Men så gick jag och skrev i en annan tidning – jag är tidningsman nämligen – emot de frireligiösa; och så revs saken upp, så att jag kom in.

Fallet var kinkigt; jag kände mig liksom utmanad att yttra mig, och som jag icke ville det, parerade jag och föll ut ur linjen. – Nåå, kan det "i våra upplysta tider" hindra en man att få arbete, därför att han är straff . . .

Det sista ordet klipptes av en ond min han gjorde.

För att hjälpa upp saken föreslog jag honom att skriva i en mycket folklig tidning vars redaktör jag visste stå över den grymma fördomen att en straffad icke skulle var försonad med samhället.

När han hörde namnet på tidningen fnyste han föraktligt, och invände:

– Den tidningen, bekämpar jag.

Detta föreföll mig så bakvänt, då jag trodde att han i sin nuvarande belägenhet skulle söka det enda stöd han till sin upprättelse kunde finna. Men som läget var oklart och jag icke gärna spiller tid på utredningar, tog jag åter en sidoväg, fattad av det mycket mänskliga begäret att utfå en återtjänst. Men jag gjorde nu min fråga i en lätt fördomsfri umgängeston.

– Nåå, säg mig nu, är det så svårt att vara i fängelse? Vari består själva straffet?

Han såg ut som om han ansåg ämnet vara närgånget och att det sårade honom.

För att hjälpa honom, väntade jag icke på svaret, utan fullföljde:

– Det var väl ensamheten? (Här högg jag mig själv i benet, men det gör man så ofta när man nödgas tala.)

Han tog mödosamt upp min kastade boll och gav igen.

– Ja; jag är icke van vid ensamheten och har alltid betraktat den som ett straff åt onda människor. (Hallå! där fick jag för att jag räckte handen, och jag kände det som när en hund biter vid en smekning! Men han visste sannolikt icke att han bet mig.)

Här blev en paus och jag såg att han träffat sig själv och därför blev ond, ty på mig tänkte han inte när han uttalat domen över den i ensamhet försatte.

Vi hade fastnat på grund och måste komma flott. Som min ställning egentligen var den avundsvärdes, beslöt jag lösa honom ur bannet, stiga ner till honom så att han måtte skiljas från mig med en känsla av att han fått något annat än pengar. Men jag förstod icke mannen; misstänkte nog att han ansåg sig oskyldig och martyr, offret för en dålig handling från redaktörens sida.

Ja, han tycktes ha förlåtit sig och kvitterat redan vid första uppgörelsen, och brottet hade begåtts av den andre när denna anlade processen; men den unge mannen måtte ha känt i luften att han intet medhåll hade att påräkna från min sida; och hela samvaron tycktes präglad av en svår missräkning. Han hade tänkt sig min person annorlunda; kanske också han märkt att han börjat i orätt ända och att det nu var för sent att ändra.

Jag öppnade alltså en ny väg och talade, som jag tyckte, visdomens och den upplyste mannens ord, låtsande ha märkt hans modstulna sinne och människofruktan.

– Inte skall ni låta nedslå er av detta (jag undvek ordet) . . . Vår samtid har kommit så långt att den finner ett . . . straffat brott (här grinade han igen ogillande) var försonat och utstruket. Det var inte länge sen jag satt med mina vänner på hotel Rydberg och tillsammans med en före detta kamrat som avtjänat två år på Långholmen. (Jag skrädde avsiktligt icke orden.) Och han hade gjort sig skyldig till stora falsarier likvisst.

Här gjorde jag en paus för att observera den ljusning som skulle försiggå i hans sinne och uttryckas i hans ansikte, men han såg endast stött ut, och ond därför att jag vågade sammanställa honom, den oskyldige och förfördelade, med en långholmare. Men en viss nyfikenhet spelade ur hans ögon, och när jag med tvär tystnad tvang honom att tala, frågade han korthugget:

– Vad hette han?

– Det vore orätt att säga, då ni icke gissar vem det var. Emellertid, han har skrivit ner och låtit trycka sina tankar om fängelset, utan att försöka försvara sin oförsvarliga handling, och därför har han återvunnit både sin anställning och sina vänner.

Detta måste ha träffat som ett hugg, ehuru det var menat som en klapp på axeln, ty mannen reste sig, och jag med, då intet var att tillägga. Han tog ett gentlemannalikt avsked; men när jag fick se honom på ryggen, och iakttog hans hängande axlar och släpande ben, blev jag nästan rädd för honom, ty han tillhörde den grupp människor som synas hopslagna av två omaka stycken.

När han gått, tänkte jag: Han ljög kanske alltihop.

Och när jag tittade på hans kort där han skrivit sin adress, slog det ner i mig, att jag nyss sett den stilen i ett namnlöst brev. Jag drog fram min låda däri breven förvaras, och började leta. Det bör man nu aldrig göra, ty under det jag letade efter hans, defilerade alla de andra breven för mig; och jag fick lika många nålsting som brevskrivarna var.

Då jag letade tre gånger, och visste att hans stil måste vara där, upphörde jag, under ett bestämt intryck: "Du får icke forska i hans öde! Men giva skall du, utan vidare. Varför vet du bäst själv!"

Mitt rum var icke mer likt sig; det hade med främlingen kommit något beklämmande i det och jag måste ut. Det var nog något starkt tyg i den anden, ty jag måste flytta bort stolen på vilken han suttit, för att jag icke skulle se honom sitta där ännu efter hans bortgång.

Och så gick jag ut, sedan jag öppnat fönstret, icke för att släppa ut någon materiell lukt, utan för att få vädra ett intryck.

*

Det finns gamla stämningslösa gator och gator med stämning fastän nya. Den yngsta delen av Riddargatan är full av romantik för att icke säga mystik. Ingen människa syns på den; inga butiker öppna väggarna; den är förnäm, igenstängd, öde, fastän de stora husen innesluta så många människoöden. Namnen på tvärgatorna efter trettioåriga krigets pampar öka det starka intrycket av historia där forntid blandar sig behagligt med nutid. När man kröker om hörnet av Banérgatan, ser man västerut en backe vid Grev Magnigatan som slingrar sig in åt höger och ger perspektivet en hemlighetsfull avslutning med en skugga, ini vilken man anar allt möjligt.

Kommer man västerifrån åter, den gamla Riddargatan, och ser neråt Grev Magnigatan, är kröken mycket skarp, och de slottsliknande husen i dunkla toner med portaler och hängtorn talar om öden med större mått; där bo magnater och statsmän som öva inflytande på nationer och dynastier. Men strax ovanför, uppåt Grev Magnigatan ligger ett kvarblivet gammalt hus från början av förra seklet. Detta hus går jag gärna förbi, ty där bodde jag i min stormiga ungdom. Där uppgjordes planer till fälttåg som senare utfördes, och lyckades; där skrev jag min första betydande dikt. Ljust är icke minnet ty nöden, förödmjukelserna, slarvet och tvisterna lade sitt solk över det hela.

Denna afton fick jag en längtan att återse detta hus, utan att veta varför. Och när jag återfann det fattiga huset var det sig likt där det stod; men putsat numera och med nymålade fönsterbågar. Den trånga, långa portgången lik en tunnel med sina två rännstenar kände jag genast igen; porten själv med sin järnstång som stödde ena halvan, portklappen, de små skyltarna om strykning, om handsktvätt, om skonåtling . . .

Som jag stod där i mina tankar, kom en herre med raska steg bakom mig; han lade sin hand på min nacke som endast en urgammal bekant kan göra, och så sade han: "ämnar du dig upp till dig?"

Det var en ung man, kompositör, med vilken jag haft ett arbete tillsammans, och som jag därför kände mycket väl.

Utan vidare följde jag honom upp i huset, trätrapporna uppåt, och se, vi stannade två trappor upp, utanför min dörr.

När vi trädde in och tände ljus, sjönk jag trettio år tillbaka ner i tiderna, och jag återsåg verkligen min ungdomsbostad, med samma tapeter, men med nya möbler.

Och när vi slagit oss ner, tyckte jag att han var på besök hos mig icke jag hos honom. Dock, där fanns en flygel, och jag kom därför genast att tala om musik. Nu var mannen i likhet med de flesta musici så uteslutande ini sin musik att han knappt kunde eller ville tala om annat. Han var så löst insatt i sin samtid att han ingenting visste om den; nämnde man orden riksdag, statsråd, boerkrig, strejker eller rösträtt, så teg han, men utan att synas varken besvärad av sin okunnighet eller plågad av ämnet, ty det fanns icke till för honom. Och även när han talte om musik, yttrade han sig endast i allmänhet och utan att framhäva några åsikter. Allt var blivet till toner, mått och rytm hos honom, och ordet brukade han endast för att uttryck det allra nödvändigaste i livets dagliga.

Detta visste jag, och därför behövde jag bara peka på den uppslagna flygeln för att han skulle sätta sig ner och spela. Och när han började fulla det lilla fula rummet med toner, kände jag mig inom en trollkrets, där mitt nuvarande utplånades och min person från 1870-talet dök upp.

Jag såg mig ligga i en utdragssoffa som stod just där jag nu satt, framför en igenlagd dörr. Och det var en natt . . . jag vaknade av att min granne, som låg på andra sidan dörren, oroligt vred sig i sin soffa; ibland suckande ibland stönande. Som jag var ung, oförskräckt och självisk, ansträngde jag mig bara att somna om. – – – Klockan var då endast tolv och jag hoppades grannen kommit hem berusad. Klockan ett vaknade jag vid ett nödrop som jag trodde var mitt eget, ty jag hade en svår dröm. Hos grannen var det tyst, moltyst, men det kom något obehagligt därifrån; en kall luftström, en uppmärksamhet riktad på mig, som om någon därinne lyssnade på mig eller tittade i nyckelhålet vad jag hade för mig.

Jag kunde inte somna om, utan kämpade mot något hemskt, obehagligt. Ibland önskade jag få höra ett ljud därifrån; men fastän bara en fots avstånd skilde oss, hörde jag ingenting; icke ens andedräkten eller knarret i lakanen.

Slutligen blev det morgon; jag steg upp och gick ut. När jag kom hem, fick jag veta att grannen som var grundläggare hade dött om natten. Jag hade alltså legat bredvid ett lik.

(Musiken pågick under det jag återsåg hela detta uppträde, och ostörd fortsatte jag minnas).

Följande dag hörde jag beredelserna till svepning och begravning; kistans rammel i trapporna, tvagningar, gummors sakta prat.

Så länge solen var uppe fann jag det bara intressant, och kunde skämta därom med besökande. Men när mörkret föll och jag blev ensam, kom denna oförklarliga köld, som lik utstrålar in i mitt rum, en köld som icke är sänkning av temperaturen eller frånvaron av värme, utan en positiv isande kyla som icke anges på termometern.

Jag måste ut, och gick på kaféet. Där gjorde man narr av min mörkrädsla, så att jag lockades överge mitt beslut att sova borta, och gick hem något påstruken.

Det ryste i mig när jag gick att lägga mig bredvid liket, men jag kröp ner likafullt. Inte vet jag, men den döda kroppen tycktes ännu äga några livsförmögenheter som satte den i förbindelse med mig. Genom dörren stod som en stråle av mässingslukt rakt i mina näsborrar och förtog mig sömnen. En tystnad som endast är dödens rådde först i hela huset, och grundläggaren tycktes som död ha större makt över de levande än han hade i livet. Genom de tunna trossbottnarna och väggarna hörde jag slutligen viskningar och mummel av sömnlösa människor ända över midnatt. Därpå blev det mot husets vana alldeles tyst. Icke ens poliskonstapeln som brukade stiga upp till nattpasset hördes av.

Klockorna slog, ett, två. Då springer han ur sängen väckt av ett buller inne hos den döde. Det knackade tre slag! Tre! Jag tänkte strax att mannen var skendöd och ville icke vara med om några gengångarscener, utan tog en näve kläder och rusade en trappa ner, där en bekant bodde. Blev mottagen med passande skämt och fick ligga på hans sofflock till morgonen.

Det var första gången jag kom att tänka över det alldagliga dödsfenomenet, som är så enkelt, men likafullt utövar sin hemlighetsfulla verkan på den lättsinnigaste.

(Vännen vid flygeln som, troligen påverkad av mina tankar, hållit sig i det mörka, gjorde här en övergång och föll in i något mycket ljust).

Tonmassorna liksom trängde ut mig ur det trånga rummet och jag fick ett behov att kasta mig ut genom innanfönstren. Därför vände jag på huvudet och lät blickarna gå ut bakom nacken på den spelande; och som inga rullgardiner fann, rände de ut och över gatan in i en våning i huset mitt emot, som låg på något lägre, så att jag kom mitt in till aftonbordet i en liten familj.

Det var en ung flicka, mörk, smidig, enkel, som rörde kring ett matbord där en fyraårig gosse satt. På bordet stod en vas med krysantemumblommor, två stora vita och en brandgul. Jag sträckte fram huvudet och såg att bordet var dukat och att gossen skulle till att äta. Den unga kvinnan band en servett under hans haka, varvid hon kom att böja huvudet så djupt ned att hennes nacke låg blottad framstupa, och jag såg en liten hals, fin som en blomstjälk, och det behagfulla lilla huvudet med rika håret lutade sig som en blomknopp över barnet, skyddande, beskyddande. Gossen gjorde samtidigt denna näpna dubbelrörelse med huvudet, först bakåt för att lämna plats för servetten, sedan framåt, tryckande ner den styva duken med hakan, så att munnen öppnades och visade de vita mjölktänderna.

Denna kvinna kunde icke vara modern, ty hon var för ungdomlig, icke heller systern ty hon var för gammal, men i släkt på något sätt måste hon vara.

Rummet var enkelt men nätt; där fanns många porträtt på väggarna och kakelugnen som andades släktkärlek; och det låg virkade dukar på möblerna. – Nu satte sig den unga flickan vid bordet, icke för att äta, lyckligtvis, ty det är fult att se på då man icke deltager själv. Hon satte sig för att hålla sällskap och narra barnet att få maten att smaka. Den lille var icke vid gott lynne, men tanten (jag kallade henne redan så) fick honom snart att le, ty jag såg på munnens rörelser, att hon sjöng visor för honom. Att jag såg hennes sång utan att höra den, under det min spelman spelade därtill, föreföll mig så hemlighetsfullt, men jag tyckte att han ackompanjerade henne, eller att han borde göra det. Jag var i båda rummen samtidigt men mest mitt över gatan, och jag bildade liksom bryggan mellan de två. De tre krysantemerna syntes mig spela med, och jag kände ett ögonblick deras hälsosamma, sårläkande kamferlukt blandas med den oskyldiga Iris-doften från hennes hår, och detta drog en sky över maten på bordet som förintades, så att barnet endast tycktes öppna munnen för att andas vällukter och le med ögonen mot sin vackra bordskamrat. Det vita mjölkglaset på den vita duken, det vita porslinet och de vita krysantemerna, den vita kakelugnen och de vita ansiktena – allt var så vitt därinne, och den unga flickans moderskap emot detta barn som hon icke fött, sken så vitt, nu då hon knöt upp servetten, torkade den lille om munnen och kysste honom . . .

I detsamma vände sig min spelman utåt gatan, och nu hörde jag att han spelade för henne, förstående att han sett henne. . . och vetat hela tiden att hon var där.

Jag kände mig överflödig och störande, varför jag

gjorde tecken att gå. Men han höll mig kvar och vi slutade aftonen med överenskommelsen att vi skulle göra ett nytt arbete tillsammans.

VII

Jag återvände till min spelman både därför att jag fick tillbaka min ungdom i hans rum och därför att vi gjorde ett nytt arbete tillsammans. Att jag även njöt av hans musik, ansåg jag icke vara något tillgrepp, ty han spelade icke för mig utan för henne.

Jag återsåg nästan samma scen i hennes rum många aftnar. Allt var sig tämligen likt; barnet, servetten, mjölkglaset; endast blommorna i vasen förnyades, men stannade vid krysantemer, vilka dock för-ändrades, så att den tredje fick olika färg, men de två vita alltid utgjorde grundtonen. Om jag sökte hemligheten i det behag den unga flickan spred, så låg det mera i rörelse än form: och hennes rytmiska rörelser syntes stämma med hans musik, ja, det föreföll som om han komponerade till hennes takt, hennes dansande steg, hennes gungande gång, hennes vingslag med armarna, hennes dykande med nacken.

Vi talade aldrig om henne, låtsades icke se henne, men vi levde hennes liv, och jag märkte en dag att jag fått in henne i musiken till min dikt, vilket ju icke varit något att beklaga, om hon nämligen passat i stycket

med mina tunga tankar. Men det gjorde hon icke, ty
hennes själ gick i tre fjärdedels takt och det blev alltid
vals slutligen. Jag ville ingenting säga, ty jag visste att
med första talade ord vore förtrollningen bruten, och
i valet mellan henne och mig, skulle han ha slungat
mig.

*

Denna vinter hade krupit fram ganska behagligt, ty
jag var icke längre ensam, och jag hade ett mål för mina
irrfärder; dessutom tyckte jag mig liksom leva lite
familjeliv, då jag på avstånd intresserade mig för en
kvinna och ett barn.

Våren kom tidigt, redan i mars. – En afton satt jag
vid mitt bord och skrev, då min spelman anmäldes och
blev insläppt. Vid lampskenet såg jag den lille blide
mannen nalkas med ett skälmskt leende, och med
någonting i handen som han ville överraska åt mig.

Jag tog emot ett kort, på vilket jag läste två namn,
ett manligt och ett kvinnligt. Han var förlovad med
henne, Som vi numera knappaste behövde tala,
svarade jag endast med ett leende och utsade det enda
ordet: Krysantemum, med ett frågetecken i accen-
terna. Han svarade med en jakande nickning på
huvudet.

Saken föreföll mig helt naturlig och som om jag
alltid vetat den. Därför växlade vi inga ord om den,
utan talte något om vårt arbete, och skildes sedan åt.

Någon nyfikenhet plågade mig icke, ty jag visste svara mig på alla ogjorda frågor, Hur de råkats? Naturligtvis på vanliga sättet. Vem hon var? Hans fästmö. När de ämnade gifta sig? Till sommaren, förstås. Vad angick det mig för övrigt? Faran för mig var likväl den, att hon skulle avbryta vårt samarbete, vilket jag fann i sin ordning, och att mina aftonsamkväm med honom skulle ta slut nu genast, vilket var en klar fröjd av den stora händelsen, ehuru, han vid avskedet i dörren sagt mig att han alltid var hemma för mig varje afton till halv åtta, och att jag bara skulle stiga in och vänta ifall han icke var hemma; nyckeln fick jag ta på farstuskåpet.

Nu lät jag tre aftnar gå, och på den fjärde gav jag mig ut vid halvsjutiden för att på försök se efter om han var hemma. När jag kom i trappan, erinrade jag att jag glömt se efter, om det lyste i hans fönster som man ju brukar göra. Vid dörren trevade jag förgäves efter nyckeln. Då tog jag den på skåpet, där jag för trettio år sedan brukade taga den och gick in, alldeles som förr i världen, och trädde in i mitt rum.

Det var ett underligt ögonblick, ty jag ramlade rakt ner i min ungdom; kände hela den okända framtiden trycka och lura hemskt på mig; erfor detta självrus i förhoppningar och förskottstagande; segervisshet och modstulenhet; överskattande av kraften och miss-kännande egna förmågan.

Jag satte mig i en stol utan att tända ljus, ty gatlyktan, samma gatlykta som ljust på mitt elände, slungade in ett sparsamt ljus och tecknade fönsterkarmarnas kors i skuggan på tapeten.

Där satt jag, och hade allt bakom mig, allt, allt, allt! Kampen, segern, nederlagen! Allt livets bittraste och ljuvast. Och likafullt? Vad så? Var jag trött och gammal? Nej; striden pågick nu argare än någonsin, allvarligare och i större skala, framåt alltjämt framåt; men om jag förut haft fiender framför mig, hade jag dem nu både framför och bakom. Jag hade vilat mig för att kunna fortsätta; och när jag nu satt på denna soffa i detta rum kände jag mig lika ung och stridsduglig som för en mansålder sedan, endast att målet var ett nytt, sedan de gamla milstolparna var lagda bakom ryggen. De som stannat och blivit efter ville visserligen hålla mig tillbaka, men jag kunde icke vänta; därför fick jag gå ensam och rekognoscera öknarna, söka nya vägar och stigar; ibland gäckad av en hägring, vända om och gå baklänges, dock icke längre tillbaka än till korsvägen, och så framåt igen.

Jag hade glömt fönstret utan rullgardin, och när jag mindes det och reste mig, såg jag i huset mitt emot precis det jag väntade mig.

Där satt han nu vid krysantemumbordet; hon bredvid; och båda sysselsatta med barnet, som var ingenderas, ty det var hennes systerson, en änkas endas barn. Detta att deras första kärlek samlade sig kring ett barn, gav åt deras förhållande från början något osjälviskt, på samma gång det adlade deras känslor som möttes i ett oskyldigt väsen. Och jag tyckte han hade fått en säkerhet i hennes redan utbildade moders-känslor.

Ibland betraktade de varandra glömmande barnet, och med detta obeskrivliga uttryck av sällhet som två ensamma människor antaga, då de råkas och få visshet att de skola bekämpa ensamheten på tu man hand. För övrigt syntes de icke tänka ens, varken på förflutet eller kommande, utan levde endast i nuet, njutande av att vara till i varandras närhet. "Att sitta vid ett bord och se på varandra så länge livet varade!"

Glad att jag kommit så långt jag var kommen, då jag kunde glädjas åt andras lycka utan spå av grämelse, saknad eller uppdiktade farhågor, gick jag ut ur min ungdoms pinorum, och vände hem till min ensamhet, mitt arbete och mina strider.

August
Strindberg *Alone*

01

August
Strindberg

Alone

Foreword by
Per Olov Enquist

Translated by *Martha Gaber Abrahamsen*

Insight and protest

In 1903, August Strindberg wrote a novel that he called 'Alone'. The word 'novel' might be a poor designation since what he wrote was a philosophical book about himself. The subject of the novel, the self, is his own, and the disguise is a poor one. Actually, he did not want to disguise himself at all. He used fiction mostly from force of habit. Everyone could still see, and was supposed to see - since this is what the author wanted - that it was August Strindberg speaking: 53 years old, author, resident of Stockholm. It was he who was speaking to his readers. We must moreover remember Strindberg's age in particular. He incessantly reminds us of it - indirectly, that is. Maintaining that he is not that old, that life is not over, which was a correct observation by this middle-aged author. But nonetheless this is a book about aging, a summation, a realization that soon it will be over. And this was true, too. He had nine years left to live. And his life's work lay largely behind him. Behind him also lay three marriages, the last of which, to Harriet Bosse, had collapsed so recently that he himself was not certain what had happened, and whether it had happened. But it hurt, which is why he does not really mention pain, not a single time. He had returned from a long and at times distressing exile, which included his 'Inferno' period. He was world-famous. He considered himself world-famous and persecuted: it cannot be put more succinctly. He also realized that he himself was partly to blame for his paranoid sensitivity. Was he, perhaps, beloved and admired most of all? He was not sure, but he promenaded around Stockholm's periphery, in a manner of speaking, with his guard up. Above all, he was alone.

'Alone' is a novel about Stockholm, and as a historic guide to provide an understanding of turn-of-the-century Stockholm, it is unusually paltry and piques our interest. He describes a Stockholm that can only be interpreted through Strindberg's life, a 'dream-play guide.' He walks, wanders, describes; macabre processions of monsters emerge; a 'growing castle' is built up, built again; the building stands; it is a city that is less reality than an expressionistic hallucination that tells about August Strindberg's return to his life. It was here that he laid the foundation. It was here everything began; it was here friends were made and became enemies; it was here sins were committed and never spoken of; it was here this curiously sensitive, suspicious, vulnerable, and plaintive author's soul took shape, the one that was to create some of world literature's most difficult-to-interpret and curious works of art.

'Alone' is as such a central text: we are able to observe August Strindberg's very special way of thinking and reacting, from inside. It is moreover interesting for a very special reason: he namely still had a few masterpieces to write, and it is here, in this prose text that might be a novel, it is here in 'Alone' that he began.

Four years later he namely wrote his four 'Chamber plays' and of them, at least 'Ghost Sonata' is among his most frequently performed, best loved, and interpreted dramas. With their abrupt transitions, violent movements, curious logic, violent accusations, and incomprehensible prayers for forgiveness aimed at people hidden in the darkness, the Chamber Pieces do not give us any easy keys to their many doors. The Chamber Pieces are namely enacted specifically in the non-existent expressionistic Stockholm that he describes in 'Alone'.

In 'Alone' he begins the wanderings that he was to continue in his 'Chamber plays'. Anyone who wishes to understand Strindberg's way of thinking, attacking, forgiving, disguising himself in plays, can start here. But this does not mean that this philosophical book is just a preliminary study, a dramatic notebook. With its curiously complex tones of resignation, insight, and protest, it is the story of a very old 53-year-old author who continually starts over and does not give up.

His view of the world was undergoing a transformation. His Stockholm was not the one others knew; it was more like a Swedenborgian hell that he realized could be a heaven if only he slowed down, took stock, and started once again.

Per Olov Enquist

Translated by *Evert Sprinchorn*

I

After ten years in the provinces I find myself back in the city of birth, sitting down to dinner with my old friends. We are all pretty much in our fifties, with the younger fellows in the group being over forty or thereabouts. We're all a little surprised that we haven't aged since we last saw each other. Of course there are a few gray streaks in our beards and here and there at our temples. But on the other hand there are some among us who have grown young since the last time we saw each other, and they confess that when they turned forty a remarkable change took place in their lives. They felt old and tired, could see their lives coming to an end; they discovered they had sicknesses that didn't exist. Their shoulders felt stiff and they found it difficult to pull on their overcoats. And the world seemed old and tawdry; the same old notions kept coming back with monotonous regularity. The younger generation, barking at the heels of the parents, ignored their accomplishments. The most maddening thing was that the younger generation made the same discoveries we had made. Even worse, they presented their old new ideas as if no one had ever entertained them before.

And as we got to talking about the old days when we were young, we sank back into time, literally living again the days that were gone, found ourselves twenty years back in time, until someone began to wonder if time really existed. Our philosopher enlightened us. 'Kant has already worked that out. Time is only our way of conceiving the present.'

'What did I tell you! I've had the same idea, because when I remember little incidents that happened forty-five years ago, they're as vivid as if they happened yesterday, and what happened to me as a child seems just as close to me as what I experienced a year ago.'

And then we began to wonder if that held true for everyone. A septuagenarian, the only one in our group whom we regarded as an old man, remarked that he still didn't feel old. (He had recently remarried and had a baby in the cradle.) This choice bit of information made us all feel like mere boys, and we began talking and carrying on like youngsters.

I couldn't help notice when we first met that my friends hadn't changed much, and that had surprised me. But I had also observed that they didn't laugh as readily as they used to and that they were a little guarded. They had come to realize the power of the spoken word. It wasn't that life had softened their opinion, but discretion had taught them that they would sooner or later have to eat their own words. Moreover, they had discovered that a man's register consisted of more than one note and that the whole chromatic scale had to be employed to approximate one's view of another person. But right now it was different. The barriers were down. No one bothered to tailor his words very carefully, no one had any respect for the opinions of others. We fell back into our old ways, let the pieces fall where they may, and we had a good time.

Then there came a pause... Several pauses... Then the room became uncomfortably quiet. The ones who had done most of the talking had the uneasy feeling that they had said to much. They sensed that the new ties had been formed silently by everyone there during the intervening ten years and that new and undivined interests had sprung up to separate old friends. Those who had talked so freely had run aground on hidden reefs of thought or unwittingly opened old wounds. All of which they would have been aware of if only they had seen the side glances and dirty looks with which the others prepared to resist and defend themselves, or seen the corners of their mouths curl to hide a suppressed word.

When we rose from the table, it was as if the newly made contacts had all been broke. The atmosphere changed abruptly. Each one felt himself on the defensive and crawled back into his shell. But something had to be said, and we uttered phrases that were quite meaningless, as one could tell by the fact that the looks didn't go with the words; the smiles were warm but the eyes were cold.

So it turned out to be an insufferably long night. The party split into groups and couples to talk, but all attempts to stir up old memories failed. Someone was always asking the wrong kind of question, out of pure ignorance, of course. For example: 'How's your brother Herman getting along?' (No one really cared to know; it was only an attempt to make conversation.) - General embarrassment. 'Why, thank you, he's pretty much the same. Can't see any improvement.'

'Improvement? You mean he's been ill?'

'Yes, of course. . . . Didn't you know?'

Someone stepped in to save the man having to explain that Herman was insane.

Or another example: 'Haven't seen your wife. You keeping her under wraps, you sly dog?'

(She was in the process of getting a divorce.)

Still another example: 'Your son must be a big boy now. Has he graduated yet?'

(The son was the black sheep of the family, a complete good-for-nothing.)

In a word, we had not kept up with each other. Our little gang had disintegrated. And we had all had our sad and bitter experiences; we were no longer kids, to say the least.

When we finally broke up outside the gate, we all wanted to get away as quickly as possible. In the old days, we would have kept the party going at some café. Reminiscing about the past when we were young and gay simply hadn't had the refreshing effect we had expected. The past turned out to be nothing more than mulch for the present, but the mulch had already withered, dried up, and begun to rot.

And we couldn't help but notice that no one spoke any more about the future, only about the past, for the very good reason that we were already in that future we used to think about and it was no longer possible to dream one up.

*   *   *

Two weeks later I found myself sitting at the same table once again, in almost the same company, and in exactly the same place. But now we had had time to go home and prepare answers to all the allegations and pointed statements that we had out of politeness left unanswered the first time. We came armed, like men of war. Those who were lazy, tired, or more interested in good food than in a good fight drew in their guns, drifted off to a quiet lagoon, and left a wake of silence after them. But the belligerent ones prepared to do battle. The old cause that had never been clearly defined, had been betrayed, and everyone accused everyone else of apostasy and defection.

'Never! I've never been an atheist!' someone cried.

'Oh, come off it! Never been an atheist?'

And we plunged into a discussion that should have taken place twenty years before. But now we tried to fabricate consciously all that had sprouted forth unconsciously during those happy years when we were young and blooming. Our memories proved unreliable; we had forgotten what we had once said and done; we quoted ourselves and others incorrectly. The result was absolute chaos. As soon as the room grew silent, someone went round and round in a circle. Talk. Embarrassed silence. Talk.

When we broke up this time, it was with a definite feeling that the past was dead, that each of us had come of age and had earned the right to leave the hothouse of public life and to grow freely out on his own piece of land, without the need for gardeners or pruning shears.

In general, that's how one comes to live alone, and I suppose that's how it has always come about. Nevertheless, one didn't stop keeping company like that. Those who didn't want to stop developing, who wanted to explore, discover and conquer new worlds, got together in a little group and used the restaurants as parlors. We had already tried to meet at home, but we soon found out that the good friend who invited us in had retailored his life and changed his style. He had got himself a wife, and as usual this made for a tight fit. When she was around, we had to talk about 'something else'. And if we forgot and talked about things that interested us, one of two things might happen. Either she took the chair and dictatorially settled all questions, or else she rose, fled to the nursery, and wouldn't be seen again until she sat down to the table, where you would be sure to be treated like a wretch and parasite and made to feel that you were taking her man from her, from house and home, from household duties and marriage responsibilities.

Not that that actually happened. Friendships usually came to an end because the wives couldn't get along. They were always finding fault with each other.

So, as I said, we met in cafés. But the strange thing was that now we didn't like sitting there. We tried to convince ourselves that this was neutral territory for conversation since no one was the host and no one felt like a guest. But we couldn't help thinking about the poor wives. Sitting there at home all alone was someone who, if she had been truly alone and not married, could have been out enjoying herself, but who was now doomed to lonely evenings at home. And another factor: most of the customers in the café were not married. That put them on the other side of the fence, and, being homeless, they seemed to enjoy certain rights in the café. They behaved as if it were their home; made a lot of noise, burst into salvos of laughter, regarded the married men as intruders - in a word - made themselves a nuisance.

Being a widower, I thought I had a certain right to be in the café. But I must have been wrong. And when I lured a married man to it, I soon felt the hatred of his wife, who would stop inviting me to their home. Perhaps she did right; in marriage three's a crowd.

And if the husbands did show up, they were so anxious to talk about their domestic affairs I had to listen to their troubles with maids and children, school courses and exams until I was so completely drawn into their family trivialities that I felt I had gained nothing by becoming a widower.

If we finally did get around to the subject of discussion, the big question that brought us together, one person would hold forth while someone else would listen with lowered eyes waiting for his chance to speak in order that he might harangue us on his favorite topic, which had nothing to do with the previous speaker and often made no sense at all. Or else, in some diabolical way everybody would talk at once and

136

nobody could understand a thing that was being said. The result was a Babylonian confusion ending with bickering and complete incomprehension.

'You don't understand what I'm saying!' was the usual cry of despair.

It was true. During the past years each one of us had added new shades of meaning to the terms he used and new values to old ideas. Furthermore, we didn't want to express those ideas that constituted our trade secrets, or those thoughts that we felt heralded the coming age, notions that each of us guarded jealously.

Every night that I walked home from one of these café meetings I realized how worthless these little nights-out were. All one really wanted to do was listen to his own voice and convince the others he was right. After each session my mind felt as if it had been rooted in, plowed up, and planted with weeds that had to be raked out before anything good could grow there. But when I got home to the solitude and silence of my rooms, I became myself again, wrapped myself in my spirit, my own atmosphere, which fit me like old, well-tailored clothes. After an hour of meditation, I would sink into sleep and be dissolved, released from all desires, needs, ambitions.

Little by little I cut down on my café meetings and practiced being alone, sometimes falling back into temptation, but always drawing back more cured than before - until I finally gave in to the pleasure of listening to the silence and hearing the new voices that come from there.

II

That was how I gradually came to live alone, limiting my business with the outer world to what my work required, and handling most of that by telephone. I won't deny that it was difficult at first, and that the emptiness I felt around me clamored to be filled. By cutting off my connection with other people I seemed at first to lose strength, but at the same time my ego began, as it were, to crystallize, to harden around a kernel where all my experiences collected to be assimilated as nourishment for my soul. Moreover, I accustomed myself to making over for my own purposes everything I saw and heard, in the house, on the street, out in nature. And in referring everything I apprehended to the work that occupied me, I felt how my capital grew, the observations I made in my solitude being more valuable than those I made on people in the social world.

In some phases of my life I've had my own house. This time I rented two furnished rooms from a widow. It took a little time before I could learn to live with these unfamiliar pieces of furniture - not too long, however. The desk was the hardest to adjust to and make

part of myself, because the recently deceased council-
man to whom it had belonged must have sat there for
a whole generation poring over his minutes. His cya-
nine-blue ink, a disgusting color that I hate, had left
stains on the desk. His arm had worn out the varnish
on the right side, and on the left side he had pasted
down a round piece of oilcloth of the most horrible
yellow-gray color for the desk lamp. A real pain to me.
But I was determined to go along with whatever crop-
ped up, and pretty soon I no longer noticed the ugly
patch. The bed - it had always been my dream to die
in my own bed - but although I can afford to, I don't
want to start buying new things. Not to own anything
is one way to be free. Owning nothing, wishing for
nothing, that's how to make oneself invulnerable to
the worst blows of fate. And then at the same time to
have enough money so that you know you can buy
whatever you feel like, that's true happiness. That's
real independence.

A crazy collection of bad pictures hangs on the wall,
including some lithographs and some chromos. At first
I hated them for being so ugly, but soon they began to
attract my interest in a way I couldn't have suspected.
Once as I was writing I ran out of ideas, a crucial scene
wouldn't come to me, and in despair I glanced up at
the wall. What caught my eyes was a horrible colored
print that some illustrated magazine once upon a time

had offered as a subscription bonus. It showed a farmer standing on a ferry dock and holding a cow that was to cross over with him on the unseen ferry. The lone man gestured upward at the sky - his one and only cow - his worried expression. . . . I got my scene.

And there is also in these rooms an assortment of small objects such as are to be found only in a home, redolent with memories, made by friendly hands and not store-bought. Antimacassars, dustcovers, whatnots with glass and porcelain objects. Among these is a big loving cup with an inscription - 'in appreciation from,' etc., etc. All these little things radiate friendliness, appreciation, perhaps even love. And to tell the truth, in just a few days I felt as if these rooms welcomed me. All these things once belonged to somebody else and I have inherited them from a dead man I never knew.

My landlady, who soon saw that I was not a very talkative sort, was thoughtful and considerate. She always had my room ready for me by the time I got back from my morning walk, and we would greet each other only with a friendly nod that said everything that needed to be said: 'How are you?' - 'Fine, thank you.' - 'Everything all right with your room?' - 'Perfect.' - "I'm glad to hear it.'

However, after a week of this, she couldn't contain herself any longer. She had to ask me if there was anything I needed; all I had to do was mention it.

'No, thank you, there's nothing I need. Everything is perfect.'

'Hmm. I just thought that - I've always been led to believe that gentlemen always found something to complain about.'

'I got out of that habit long ago.'

The old lady looked at me in an odd way, as if she had heard otherwise.

'Well, now, what about the food?'

'The food? I haven't really noticed. It must be excellent.'

And it was excellent. In fact, the treatment I received was in every way exceptional. It was more than the ordinary routine boardinghouse treatment. I felt cared for and looked after, something I had never experienced before.

The days flowed by calmly and peacefully, softly and pleasantly, and though I was sometimes tempted to speak to my landlady, especially when she looked worried and troubled, I always resisted the temptation - partly because I didn't want to get involved in other people's problems and partly because I respected her privacy. I wanted my relationship with her to be an impersonal one, and I found it suited my mood better to let her past remain hidden in the shadows. If I were to hear the story of her life, the furniture in my rooms would acquire a character different from the one I had assigned to them, and that would be the end of the beautiful patterns my imagination had woven. Chairs, tables, washbasin, bed would all become props in her personal drama, which might begin to haunt me. But now all these things were mine. I had covered them with the slipcovers of my spirit, and the set would only work for my play. My play!

*   *   *

I've also made myself a few friends, of a nonintimate, impersonal sort, and I've acquired them in a way that didn't cost me much. It is on my morning walks that I have gotten to know certain people whom I really don't know, people I don't say hello to because they're not personal friends. The first person I meet is the army major. He's retired, living on a pension, and must therefore be at least fifty-five. He dresses in civvies. I know his name and I've heard stories about his younger days. I also know that he's not married. Being retired, as I said, he consequently has nothing to occupy himself with as he waits out his life. But he confronts his fate with courage - straight and tall, broad-chested, coat unbuttoned usually, rather jaunty looking. His hair is dark, his mustache black, his walk military - so military I always stretch myself when I meet him; and I feel younger when I realize that he's past fifty-five. The look in his eyes gives me the impression that he doesn't hate me, perhaps even likes me. And after some time, he becomes an old acquaintance whom I'd like to nod hello to. Still, there is definitely a great difference between us. He has served out his time and laid down his arms, while I'm still standing in the middle of the battle-field, fighting my way forward. So there is no point in his looking for sympathy from me as if we were birds of a feather. I don't want to get involved.- I may be gray around the temples, but I know that tomorrow morning my hair could be just as dark as his, if I wanted it to be. But I don't bother with it since I don't have any woman to preen myself for. Besides, it seems to me that his hair lies altogether too flat and smooth not to arouse some doubts, while my wavy locks rise up above suspicion.

Then I have another acquaintance who has the advantage of being a complete stranger to me. He is certainly at least sixty, his hair and his full beard completely gray. At the beginning of our acquaintanceship I thought there was something in the sullen and splenetic expression on his face that I recognized, certain features in his figure, and I approached him with compassion and sympathy. I felt that he had tasted the most bitter dregs, that he had swum against the current of life and gone down; that he was living in an era that had gradually and imperceptibly left him far behind. He couldn't give up the ideals of his youth because they were too dear to him, and all the while he regarded himself as being on the right road. Poor man! He alone is in step and all the world is out of step. What a tragedy!

But one day when I looked him in the eye, I saw that he hated me, perhaps because he read the look of pity I gave him. The unkindest cut of all. I even heard him snort as he passed by me. - Maybe, without me being aware of it, I did him or those close to him an injury. It's possible. Or perhaps I indirectly messed up his life. Or perhaps I once actually knew him. Who can tell? He hates me, and strangely enough, I feel I deserve his hatred. I don't want to look him in the eye anymore. It's also possible that we are born enemies, that class, race, breeding, points of view have raised a barrier between us, and that we instinctively sense this. I have learned from experience how to tell friend from enemy on the street. There are certain people, strangers to me, who radiate so much hostility I have to cross the street in order not to come too close to them. And in my lonely state this sensitivity is sharpened to such an extreme degree that merely hearing a person's voice on the street upsets me, if it affects me at all.

And then I have a third friend, who rides a horse. I nod at him, for I've known him since our college days, and I have a good idea of what his name is but can't spell it. I haven't spoken to him in thirty years, only nodded at him on the street, and sometimes been greeted with a smile of recognition - and a very good smile it is under that big mustache of his. He wears a uniform and with the passing years the stripes on his cap have become steadily more numerous and broader. Now, recently, when after a ten-year hiatus in our friendship I met him again on his horse, he was wearing so many stripes I didn't want to risk saying hello for fear of being snubbed. But I guess he understood what was in my mind because he reined in his horse and called out, 'Hello, there! Don't you recognize me?'

Yes, I recognized him, and then we moved on, each going his own way, and the nodded hellos continued since then. One morning I noticed a strange, half-distrustful smile under his mustache. I didn't feel like interpreting it even to myself, it seemed so improbable. He looked as if - I was only letting my imagination work, of course - as if on the one hand he thought I thought he was a snob, and on the other hand as if he suspected me of being a snob. Me??

It is not unusual in this world that people who think too little of themselves have the reputation of bearing the deadly sin of pride engraved in their scutcheons.

* * *

Then there is an elderly lady who is taken for walks by her two dogs. When they stop, she stops - and they stop at every lamppost, every tree, every corner. Whenever I meet her, I thing Swedenborgian thoughts.

I think of the misanthrope who was so alone he had to keep company with animals. I think of her as punished by her imagination. She believes she is commanding these unclean beasts, while it is the animals who are forcing her to follow their every whim and crotchet. I call her Queen of the World and Protectress of the Universe because that is how she looks to me, with her head thrown back and her eyes looking down.

Finally there is my tithe woman. I look upon her as occult. She doesn't show up very often, but she's always there when I've just acquired a goodly sum of money or when some danger is in the offing. I have never believed in 'encounters' or that kind of superstition. Never avoided an old hag, never spit after a cat, and I've never given a kick in the pants to a friend who was about to embark on a risky enterprise but have instead wished him well from the bottom of my heart and clapped him on the shoulder. Only recently I did just that to a sophisticated actor friend of mine. His eyes flashing with rage, he spun around and hissed at me: 'Don't say that! It's bad luck!' I replied, 'No, the good wishes of a friend can't bring bad luck, even if they can't do much good.' - He didn't change his mind; he was superstitious like all unbelievers. The unbelievers, you see, believe everything - but backwards. If they have had a beautiful dream, it means something bad. And if they dream of vermin, for instance, that means money. I, on the contrary, pay no attention to insignificant dreams; but if I have a dream that forces itself on me, then I interpret it straightforwardly, directly, head on. A nightmare is a warning to me and a beautiful dream is an encouragement or a consolation. This is logical and scientific, because if I'm pure inside, I see pure, and vice versa. My inner being is mirrored in my dreams and so I can use them as I use a shaving mirror; to see what I'm doing and avoid cutting myself. The same applies to certain 'incidents' in waking life - but not all. For example, there are always bits of paper lying in the street yet not all of them catch my attention. However, if one of them does, I give it my careful consideration, and if there is something written or printed on it that has some connection with what is preoccupying me, then I regard it as an expression of my innermost unborn thoughts. And am I not right in thinking so? For if there did not exist this bridge of thought between my inner self and the outer thing, a transfer could never take place. Not that I believe that anyone is putting out bits of papers just for my sake, although there are those who believe only in the palpable and the physical and look only for material causes.

To get back to the old woman. I call her occult because I can't explain why she shows up just when she's supposed to. She reminds me of a fishwife in the market when I was a youngster, or the woman who sat out-of-doors in the candy booth. Her clothes are ash-colored, but holeless and spotless. She doesn't know who I am. Calls me Guv'nor, probably because I was a bit portly three years ago when our acquaintance started. Her thanks and blessings follow me down the road a piece, and I love to hear that 'Bless you' - a sound so soft and gentle compared to the harshness of 'Damn you'. It seems to make me feel good the whole day.

After we had known each other for a year, I once gave her a large bill, and I expected to see in her face that idiotic, almost evil look you can see in some beggars when you give them too much - as if they thought you were crazy or had pulled the wrong bill from your pocket. If you give a young hooligan a silver coin, he always runs away laughing as if he expected you to chase after him and take the silver coin back and hand him a penny instead. But my old woman grabbed my hand in such a strong grip I couldn't get away, and with a voice filled with infinite wisdom and knowledge of human nature, she asked, nodding yes to her own question. 'Oh, Guv'nor, you've been poor, haven't you?' - 'Yes, just as poor as you, and maybe will be again!' - She understood that. I wondered if she had known better times, but I never wanted to ask.

That is pretty much the company I keep outside the house, and for three years they've been my associates.

But I had also started keeping company inside the house. Living as I do four flights up, I have four families with all their histories disposed in layers beneath me, including the family in the basement. I don't know any of them, don't know how they look, don't think I've even met them on the stairs. All I see are the name plates on their doors. I can tell pretty much what their political sentiments are by the newspapers stuck in their door handles. Wall to wall with me there lives in the next house a singer who sings beautifully for me. And she has a girl friend who comes to play Beethoven for me. These are my best neighbors, and I am tempted at times to make their acquaintance to thank them for all the bright and happy moments they have given me. Still I resist the temptation because I feel certain that the best part of our relationship would be over once we started exchanging banalities. Sometimes the girls are quiet for several days on end and then my place seems dark and gloomy. However, I also have a happy fellow for a neighbor who lives, I think, in the house next door on one of the lower floors. He plays pieces apparently from operettas, which I don't recognize but which are so irresistibly funny and so harmlessly indecent I have to laugh even in the midst of my most somber thoughts.

As contrast and dark shadow to these bright and pleasant people is my nearest neighbor, who lives on the floor below. He owns a dog. His dog is a huge, red, crazy, galloping animal that barks and yelps in the stairway. His master, who looks upon the house as his and the rest of us housebreakers, lets this monster watchdog guard the stairs. If I should come home late at night and go groping up the stairs and should my foot touch some hairy object, then the peace of night is broken. In the blackness I see two phosphorescent beads shooting off sparks, and the whole sounding shell of the spiral stairway is filled with noise - a noise that results in a door being opened and a man stepping out to crush and annihilate me - me, the injured party - with the look of fury in his eyes. I certainly don't say I'm sorry, but still I always feel I'm the guilty party. Arraigned against the dog owners all the rest of mankind is guilty.

I have never understood how a person can devote his affection and solicitude to animals when there are fellow creatures he might better devote himself to - especially such an unclean animal as the dog whose whole existence consists in dirtying things. And this dog owner has a wife and grown daughter who share with him an emotional life centered on that animal. They often have dog soirées in which they gather around the dining-room table - I can hear precisely where they are sitting without having to listen - to discuss the monster. The one who can't talk howls his answers, which makes the whole family roar with contentment and pride.

Sometimes the barking awakens me in the middle of the night. I can imagine how happy the family must be to know that they possess a beast so alert, keen, and watchful that it can even sense through walls and closed windows the coming of the lavatory man and his cart. Does concern for the unhappy people whose peace and sleep is broken ruffle the happiness of the dog owners? Not a chance. For the priceless gift of blessed sleep, which comes so dear to some of us, for that they have no consideration. I sometimes ask myself how thick is the skin of those who through the silence of the night do not feel the curses hurled down on their heads by the rest of us who lie tossing sleeplessly in bed. Don't they feel this perfectly justifiable hatred penetrating ceilings, floors, and walls to damn and curse them?

Once long ago I had the nerve to complain about dogs barking in a house filled with people. The dog owner parried by reminding me of children screaming in my house! He compared an unclean and pernicious animal to a child in pain or discomfort. Since then I have never complained. Yet in order to be at peace with myself and to reconcile myself with my fellow man - for hating is a torture to me - I have tried to find some explanation for this passion for animals, which surpasses comparable feelings for human beings. But I confess I can't explain it. And like everything I can't explain, it has a sinister effect on me. - If I were to philosophize using Swedenborg's method, I would settle for this: obsession as a form of punishment. - Enough said for the time being. The unfortunate merit our sympathy.

* * *

There is a balcony to my apartment and from it I have a magnificent view of fields, water, and woods shimmering in the distance out towards the seacoast. But if I lie on my sofa, all I see is sky and clouds. It is as if I were in a balloon, floating high above the earth. But then my ears begin to be pestered by a great many little sounds. My downstairs neighbor telephones and I can hear by his accent that he is from the province of Västergötland. A sick child is crying on one of the lower floors. And on the street two people have stopped to talk under my balcony. Now I perk my ears and listen - a writer has the prerogative of listening, at least to what is said in the street.

'Well, don't you see, there was simply no way of making a go of it.'

'Has he closed up for good?'

'Certainly has.'

(I understood right away they were talking about the grocery store on the street floor that closed for lack of business.)

'No, there are too many stores here - and he got off

to a bad start. . . . The first day he took in thirty cents, the next day somebody came in to consult the city directory, and the third day he sold some postage stamps! I tell you, there are too many stores! I've got to be going. I'll see you.'

'Goodbye. Going to the bank?'

'No, I'm going down to the customs office. . . .'

These were the curtain lines in a tragic drama I was a witness to during the last three months, a drama that was acted out in my building.

To the left of the entrance in my building they began to set up a grocery business. They painted and gilded, shellacked and varnished, while the young owner of the shop would step to the edge of the sidewalk now and then to contemplate the beautiful sight. He looked like he might be a good salesman, full of vigor, though perhaps there was something lightweight about him. Still he looked hopeful and unafraid, especially when he showed up with his intended.

I watched the shelves and bins rise against the walls. Soon the counter with its scales was ready, and a telephone was nailed to the wall. I remember the telephone in particular because it sang such a melancholy, wailing song in my wall. I didn't wish to complain since I was, and am, trying to get rid of that habit. Then they began constructing something inside the store, a pan coupé with an arcade. It looked theatrical in the bad sense, the false perspective designed to create the illusion of something magnificent.

They began filling the shelves with an endless amount of goods, with famous labels and without. That took a whole month. In the meantime a huge sign was painted on the colossal windowpane, and after three days of painting, I read in Gothic letters: Östermalm Grocery.

Now this whole section of town is Östermalm, and when I read that sign I thought of Sophocle's words: The gifts of gods are crowned with one: Prudence. Therefore man takes care Not to affront the Almighty. Pride, Paying with burning sores for its rash deeds, Learns at the latter end of life The value of prudence.

How unwise of the young man! When Östermalm had at least two hundred groceries, to go and trumpet himself as owning the real, the one and only Östermalm store! A rather shabby trick betraying a disregard for the rights of others, who will now bite you in the heel. Overreaching, overbearing, and overcredulous! Anyway, the newly married grocery man opened shop. The window displays were indeed magnificent, yet I trembled at what fate had in store for him. He must have invested all his life savings, or all the money he had inherited, or else he had borrowed on ninety-day notes.

The first few days passed just as the stranger under

my balcony described them. On the sixth day, I went in to buy something, and I noticed that the clerk was hanging around the door. This struck me as a tactical blunder. A customer wants to slip unhindered into a store, for one thing, and for another, it indicated there were no customers inside. And it also gave me to understand that the owner was away - out with his wife, of course, perhaps on a pleasure trip.

At any rate, I stepped in and was amazed at the expensive mise-en-scène, which indicated to me that the owner must have worked in the theater.

When the dates were to be weighed, they were grasped not with bare fingers but with two sheets of tissue paper - the good old traditional way. A good sign. The groceries I bought were excellent, and I became a steady customer.

A few days later the owner had returned and was standing at the counter. He was a modern soul: I saw that right away when he didn't try to strike up a conversation - that was old-fashioned. But his eyes spoke - respect, confidence, honesty. So far, so good. But he couldn't keep himself from putting on an act. He was called to the telephone, said excuse me and pardon me a thousand times and went to the telephone. Now, unfortunately for him, I've written plays and studied the arts of gesture and dialogue. So I could tell by his fare that he wasn't talking to anyone on the phone, and I could hear from his lines in the pretended dialogue that it was all an act.

'Yes - Yes, of course. - Yes, yes. - Right! - Certainly! Absolutely, just as you want it!' (He rung off.)

He was supposed to be taking an order but transitions and shades of tone were lacking. Though it was all really quite innocent, I didn't like being his fool and I didn't like waiting around while he played games. My mood became critical. I began reading the labels, especially the brand names. Though I was not a connoisseur of wines, I remembered from a long way back that if it said Cruse et fils on the bottle it was a genuine French wine. And that was the name I saw on a label. Amazed at finding Bordeaux wine in a grocery store, I broke down and bought a bottle at an incredibly low price.

Back home I made a couple of discoveries. I didn't get mad, mind you, but I never shopped at the grocery again. The dates that had been excellent before were now mixed in with others that were woody. And the wine may have been Cruse's - Robinson Crusoe's perhaps but definitely not Cruse et fils.

From that day on I never saw anyone enter the store. And now comes the tragic part of the story - a young man full of youth and vitality eager to work but doomed to idleness and consequently to defeat - the struggle against the inevitable that each day came closer.

His high spirits began to break down and give way to a nervous defiance, I could see his face through the window, ghost-like, always on the watch for customers. After a time, he began to hide. It was terribly moving to see him from the front row, standing behind his theatrical arcade, apprehensive, afraid of everything, even of the approach of a customer, afraid that the customer would only want to look at the city directory. That provided the cruelest moment, because he had to smile and put on a show of being pleasant and friendly. On one of the first days of business he had caught the clerk contemptuously tossing the directory across the counter at a dignified elderly gentleman. Knowing a little more about people than the clerk, the owner had rebuked him with a reminder that customers are drawn in by postage stamps and directories. But he himself had not yet learned that good products are the best advertisement and that tricks don't fool anyone.

The dénouement approached. I suffered with him through all his agony. Thought of his wife, the end of the fiscal quarter, the rent coming due, the promissory notes. Finally, when I could no longer bring myself to go past his window, I took another way. But I couldn't escape him because his telephone wire sang such a sorrowful tune in my wall, even at night. This was when I heard the dirges, the long sighing, gasping songs of a life finished before it really got started. Of his hopes, of his despair, of not being able to begin again - and always of his patiently waiting wife and the unborn child.

That he himself was to blame didn't help matters any. Besides, it was doubtful that he really was to blame. All these little tricks that are part of business had been drummed into him by his bosses and employers; he didn't see that there was anything wrong in them. Imprudence! The cause lay in that, but not the blame.

Sometimes I asked myself how I got involved in all this. Perhaps because one has to share other people's sufferings, and share them precisely when one seeks through solitude to avoid them.

And so the story of the merchant reached its appointed end. It was actually a relief to see the doors close. But when the doors opened again and one saw the drawers and cases being emptied, the shelves stripped bare, and the whole great variety of goods, most of which were spoiled, carried out, it was like watching an autopsy. Since I knew one of the men on the job, I walked into the backroom behind the arcade. Here was where he had fought his battle. To pass the time and escape the curse of pure idleness he had written out piles of imaginary bills. They still lay there and were made out to Prince Hohenlohe, Félix Faure, even the Prince of Wales was included - he had purchased

200 kilos of Russian marmalade and one case of curry.

I personally was very much interested in observing how the man's mind had linked together Félix Faure's Russian Journey with the Indo-British kitchen of the Prince of Wales.

There was also a pack of advertisements he had written out, announcing 'first-class' caviar, 'first-class' coffee - everything first-class. But the advertisements were never printed.

I understood how he had sat at his desk and been forced to put on this act in front of his clerk. Poor man! But life is long and full of ups and downs, and this man will some day be on top again.

III

This is ultimately what it is like to be alone: you spin yourself into the silk of your soul, or become a pupa and await the metamorphosis, which is certain to come. While waiting, you live on your past experiences and telepathically you live the lives of others. Death and resurrection; being reared and trained for something new and strange.

I am finally sole master of myself. I don't have to put up with anyone's petty peeves and silly whims. My soul begins to grow in its newly won freedom and I experience an extraordinary sense of inner peace, a quiet happiness, security and independence.

Living with someone, which is supposed to be an education of sorts, strikes me now as I think back on it as a co-education in sin. To anyone with a strong sense of beauty, looking at things that are not beautiful, hour after hour and day after day, is a form of torture that can give one a martyr complex. Having to shut your eyes to injustices out of regard for your wife and others teaches you to be a hypocrite. Constantly withholding your real opinions out of this regard makes you a coward. Taking the blame in order to bring peace to the house for things you did not do is a form of slow but steady self-debasement. Never hearing a word of encouragement saps you of your strength and self-assurance. And having to bear the consequences of the mistakes of others gives one a grudge against the whole world.

The worst of it is that you are not in control of your own reputation, even if you have every intention of doing the right thing. What good does it to do for me to try to remain spotless if my marriage partner goes around slinging mud at me? At least half the shame is mine, if not all, which is the usual case. Marriage makes one feel insecure and unsafe. It puts one on public view, makes you feel dependent on someone else's whims. Those who did not dare to stab me in the back when I stood alone had an easy job of sticking a knife into my heart when I let my wife carry it about the streets and parks.

Another virtue of living alone is that I can determine my own spiritual diet. Now I don't have to see enemies at my table or have to listen in silence to abuse hurled at the things I cherish. Within my own doors I am not forced to listen to music I abhor. I'm spared the sight of newspapers lying around with caricatures of my friends and myself. I'm freed from having to read books I despise and from attending exhibits of pictures I disdain. In a word, I am master of my own soul in those cases where one has some right to be master. I am free to choose my own likes and dislikes. I have never been a tyrant; I have only wanted to avoid being tyrannized; and that's what tyrannical people won't stand for. On the contrary, I have always hated tyrants, and for that the tyrants cannot forgive me.

I have always wanted to move onward and upward. That is why I have had the higher court on my side against those who wanted to drag me back and hold me down. And that is why I have come to live alone.

* * *

Living in solitude you must first of all come to terms with yourself and with your past. A long and hard task, a complete education in self-conquest. But there is no more rewarding study than that of getting to know yourself, if such a thing is possible. You have to use the mirror now and then, especially a hand mirror, for otherwise you cannot see how you look from the back.

I began the process of coming to terms with myself ten years ago when I made the acquaintance of Balzac. While I was reading his fifty volumes, I did not notice what was taking place within me. Not until I had gone through them all did I realize what had happened. I had found myself, and I could make a synthesis out of all the hitherto unresolved antitheses of my life. And by looking at people through his spectacles I had also learned to view life with both eyes, whereas I had formerly looked at life with one eye, as through a monocle. And Balzac, the great magician, had not only taught me that by resigning oneself, by submitting to fate or providence, one can save oneself from the pains of the hardest blows, but he had also led me slyly into a kind of religion that I should like to call a confessionless Christianity. During my wanderings under Balzac's guiding hand, through his human comedy, where I got to know four thousand persons (a German has counted them!), I felt I was living another life, larger and richer than my own. By the time I had reached the end it appeared to me that I had lived two lives. Being in this world gave me a new slant on my own, and after a series of relapses and crises I finally ended up reconciled in a way to suffering. For I had at the same time discovered that sorrow and affliction had burned up the sweepings of my soul, purified my feelings and instincts, and even endowed my soul, which had been ripped free of the tortured and harassed body, with greater potentialities. As a result I accepted the bitter dregs of life as medicine. I considered it my duty to suffer everything - except degradation and subjection.

But solitude also makes one sensitive. Where before I had armed myself against suffering by being hardhearted, I now became more sensitive to the pains of others, an absolute prey to outside influences - not bad ones, however. Those only frighten me and make me withdraw even more. At such times I seek out the more secluded and remote streets where I meet only common people who do not recognize me. There is a special route that I call via dolorosa, which I take when my mood seems darker than usual. It takes in the city line at the north and looks like a one-sided avenue with a row of houses on one side and the woods on the other. Now in order to reach it I have to take a little side street that has a particular attraction for me, although I can't explain why. At the foot of the narrow street and dominating it is a huge church, which both elevates my spirit and casts shadows on it - but without managing to lure me in. I never go to church, since. . . . well, I don't know why. Down to the right is the parish office where I asked to have the banns published once long ago. But up here on the north end stands a house just at the point where the street opens out into the fields and farmlands. It is as big as a palace, stands at the edge of the drop-off and commands a view of the water and the bays. I've wanted to live there, and I've imagined that someone lives there now who once had an influence on my life, or is having it right now. I can see the house from my apartment, and I stare at it every day when the sun shines on it or whenever the lights are turned on it in the evening. In the meantime, whenever I walk past it I always seem to receive some kind and sympathetic message from it, and I feel as if I were waiting to be allowed to withdraw to it to find peace there.

So I march on to the avenue into which all the side streets debauch, and each one of them brings to life a memory from my past. Since the avenue I'm walking on runs along a high ridge, the side streets all run downhill from it, many of them making a bend on their way, thus forming a steep hill that resembles the globe of the earth. If I stand on the sidewalk on the ridge and look at someone coming up the hill, I see first a head sticking up from the ground, then the shoulders and then the whole body. This takes about half a minute, and I find it mysterious and fascinating.

I look down each side street as I pass by, and down each one of them can be seen in the distance either the south part of town or the palace or the city between the bridges (the old town in Stockholm). And each time I look down I am plagued by the memories each street arouses. Down there at the bottom of this crooked tube known as ——- Street lies a house I went in and out of a generation ago as fate wove its net for me. . . . Opposite it is another house where twenty years later I lived under similar conditions - only just the reverse and doubly painful. Down there in the next street I lived through that period of life which for other people is usually the most beautiful. It was for me too, I must say, but at the same time it was the ugliest of all. And the passing years cover it with a varnish that does not bring out the beauty; rather the ugly spots spread out and devour the little beauty that once was there. Paintings feel the toll of time and the colors change and not to their advantage; white especially has a tendency to turn dirty yellow. The 'pietists' say that that is the way it is supposed to be in order that at the Great Parting we may take our leave without any regrets and go our way, happy to turn our backs on the whole affair. When I have gone some distance along the avenue past the big new houses, they grow fewer and fewer. The knobs of rocks begin to stick up, a tobacco field spreads out before me. A gentleman farmer has had his slaughterhouse shack neatly sliced through by a bend in the lane. And there stands a tobacco shed that I remember from - 1859. I used to play in it. In a little cottage, which no longer exists, there lived a cleaning woman who had formerly been a nursery maid in my parent's home - and from the roof of that shed her eight-year-old son had fallen to the ground and hurt himself badly. We used to come out here to hire her for the spring cleaning at Easter and the winter cleaning at Christmas. . . . And I used to prefer to take these back streets to school in order to avoid Queen Street. There were trees and flowering plants, cows grazing, hens cackling; it was farm country then . . . And I sank back into time, back to hideous childhood, when life lay before me, strange and frightening, when everything oppressed and constrained me. . . . Now all I have to do to put all this behind me is turn on my heels. And I do. But I still have time to see in the distance the tops of the linden trees that line the long street of my childhood days and the cloud-like contours of the pines out near the city cemetery.

I have turned my back on it now, and as I look down on the avenue toward the morning sun rising over the hills purple in the distance, out near the seacoast, then I forget in a second all the concerns of my childhood, which is so snarled up with other people's concerns it isn't really my own, whereas my own real life begins out there near the seacoast.

That corner near the tobacco shed holds a terror

for me. Yet sometimes it exerts a marvelous drawing power, as does everything painful. It's like going to look at caged wild animals that you know can't get at you. And that single moment of pleasure when I spin on my heel and turn my back on the whole thing is so intense that I treat myself to it occasionally. In that second I put thirty-three years behind me and I feel happy to be standing there. It was always my longing as a child 'to be old'. It occurs to me now that I had an intuition then of what lay ahead of me, which also occurs to me now as having been predetermined and unavoidable. My life couldn't have turned out any other way. When Minerva and Venus met me at the crossroads of youth, it was not a matter of choosing. I followed both, hand in hand, as I suppose we all have done, and probably are supposed to.

In any event, as I walk on now with the sun in my face, I soon come to a spruce woods on the left. It was there, I recall, that I walked twenty years ago and looked at the city below me. I had been outlawed then, proscribed. For I had profaned the mysteries, like Alcibiades, and had knocked down the idols. I remember how desolate and lonely I felt. I knew I did not have a friend, and the whole town lay below like an army massed against me alone. I saw the campfires, heard the alarm bells, and I knew they would starve me out. I know now that I did the right thing. But I took a malicious pleasure then in the conflagration I had started, and that was wrong. If only I had had a spark of pity for those I hurt! If! But that would be expecting to much of a young man who had never known any pity from the others!.

Now as I look back on it, that walk in the woods years ago seems sublime, majestic. And if I didn't go down to defeat then, it was not because of my own strength, for I do not believe in that.

* * *

For three weeks straight I had not spoken to a soul. My voice had closed up shop, so to speak, and had lost its resonance and audibility. I became aware of this when I addressed the maid. She didn't understand what I said and I had to repeat it several times. Then I began feeling restless; my solitude seemed like an exile. I got to thinking that people didn't want to associate with me because I had rejected them. So one evening I went out. Sat down in a streetcar just to get the feeling of being in the same room with other people. Trying to make out from their eyes whether or not they hated me, all I could read was indifference. I listened to their talk as if I were at a party and had a right to participate in the conversation, at least as a listener. When the car became crowded, it was a pleasant sensation to feel my elbow making contact with a human being.

I have never hated human beings. The opposite would be closer to the truth. But I have been afraid of them, ever since the day I was born. My sociableness has always been so great that I could enjoy the company of anybody and everybody, and I formerly regarded being alone as a form of punishment, which it probably is. When I have asked friends of mine who have been in prison precisely what the punishment consisted in, they have invariably answered: being solitary. This time in my life I have indeed sought to be alone but I made a tacit condition: that I would have the right to look up my acquaintances when I felt like it. Then why don't I? Something stops one. I feel like a beggar as I climb the steps, and I turn around when I get to the doorbell. And when I get home, I feel content, especially when I run through in my mind all the things I believe I would had had to hear as soon as I stepped into those rooms. Since my thoughts do not run in tandem with anyone else's, I am jarred and upset by virtually everything that is said; an innocent word can stab me like an insult.

I believe fate intended me to be alone and that it is all for the best. I want to believe it, anyway, for otherwise my situation would be intolerable. Yet, when I'm alone my head becomes overcharged now and then and threatens to explode. That's why I have to keep myself under strict observation. I try to keep my inventory of thoughts balanced between what comes in and what goes out. Every day I have to get rid of some stock by writing and take in something new by reading. If I write all day, I feel completely despondent and empty in the evening. I feel that I have nothing more to say, that I'm finished, done for. But if I read the whole day, I get so charged up I want to explode.

Furthermore I have to pick the right hours for sleeping and walking. Too much sleep exhausts me like a Chinese torture; too little excites me to the point of hysteria.

I can make the days pass without any trouble; it is the evenings that are difficult. Feeling my intelligence flicker out each night is as distressing as feeling myself decay spiritually and bodily.

In the morning, when I rise from bed after a sober evening and good night's sleep, life is a positive pleasure. It's like rising from the dead. My soul is regenerated, and my powers, knitted together by sleep, appear to be redoubled. It is then that I imagine myself changing the world order, commanding the fates of nations, declaring war, deposing dynasties. When I read the papers and learn from the foreign telegrams what is happening in the world, I feel myself right in the center of things. I am a 'contemporary', and I sense that in my small way I have been involved in shaping the present through my work in the past. After that I turn to read about my own country and finally about my own city.

Since yesterday the world has moved forward. Laws have been changed, trade routes opened, thrones upset, systems of government altered. People have died, been born, have gotten married.

Since yesterday the world has changed, and a new world has come with a new sun and a new day. I feel renewed and reborn.

Though I burn with the desire to get down to work, I must first go out for my walk. When I reach the street door, I know immediately which way I'll take. Not only do the sun, the clouds, and the temperature tell me, but some inner sense acts as a barometer and thermometer to inform me how I stand with the world.

I can choose one of three ways. The smiling way out to the Deer Park, the crowded Strand and the city streets, or the lonely via dolorosa I just described. I soon sense which way I am to go. If I feel at peace with myself, the air caresses me and I look for company.

Then I walk the streets crowded with people and sense that I am on friendly terms with all of them. But if something is not quite right, I see only enemies looking scornfully at me. Sometimes the hatred emanating from them is so strong I have to turn back. If I resort to the countryside near Brunnsviken or the oak hills around Rosendal, it may happen that nature is in tune with me and I with it. My heart sings. I have a claim on this countryside. I have become part of it and made it serve as a backdrop to my character. Of course, the countryside has its moods too, and there are mornings when we don't get along. Then everything changes. The triumphal arches of the birch trees turn into whipping rods; the bewitching leafy rooms formed by the hazel bushes can't conceal the all-too-eloquent hazelwood canes; the oak trees stretch their bony arms threateningly over my head, and I feel as if a horse collar had been slipped around my neck. This lack of harmony between me and my countryside makes me so tense I want to break loose and run away. And when I turn around and see the southern horizon with the magnificent skyline of the city, I feel as if I were in a foreign country, a tourist looking at it for the first time, abandoned and alone like a stranger who doesn't have a friend within those walls.

It is when I get home and sit down at my desk, that I really live. And the energy that has flowed into me during my morning walk either through the alternating current of disharmony and tension or through the direct current of harmony and peace is now released to serve my different aims. I live, and I live multifariously the lives of all the people I depict - am happy with the happy ones, bad with the bad ones, good with the good. I shed my own character and talk through the mouths of children, of women, of old men. I am king and pauper. I am the highest of the high - the tyrant - and I am the lowest and most despised - the persecuted hater of tyrants. I share all opinions, I confess all religions, I live in all ages, and I myself have ceased to exist. In this state I am indescribably happy.

But when it ends around noon, when I am finished writing for the day, my own existence becomes doubly distressing. I feel more and more as if death were approaching with the coming of evening. The night stretches out before me. After a day's work other people usually find some amusement in talking to each other, but not I. The silence wraps itself around me. I try to read and cannot. I pace the floor and wait for the hands of the clock to reach ten. Finally they do.

When I free my body of its clothes with all their buttons and elastics and snaps and clasps, my soul breathes more deeply and feels free and easy. And when after my Oriental ablutions I have gone to bed, my whole universe stretches itself and relaxes. The will to live, the battle, the strife ceases; and the desire to sleep pretty much resembles the yearning for death.

But first I take half an hour for meditation, that is to say, I read some prayer book or other chosen to fit the mood I am in. Sometimes I choose a Catholic book. That brings with it a breath of apostolic, traditional Christianity. It is like Latin and Greek: it returns us to the roots of our ancestry. For our - my - culture begins with Catholic Christianity. With the Roman Catholic manual in my hand I feel like a Roman citizen, a citizen of the European nation, and the inserted Latin verses remind me that I am an educated, cultured man. I am not a Catholic and never have been because I cannot tie myself down to any one creed. So sometimes I take an old Lutheran manual with a passage for each day of the year, and I use it as a scourge. It was written in the seventeenth century when life was miserable here on earth, and consequently it is terribly rigorous and stern, preaching that suffering is a blessing and the gift of grace. Very, very seldom do I find a good kind word in it. It can bring one to despair, which makes me fight against it. It isn't true, I say to myself. It's a temptation to waste one's strength. Catholicism has taught me that the Tempter appears in his ugliest role when he seeks to bring one to despair and to rob one of hope. But to the Catholic hope is a virtue; for to believe that God is good is the core of religion. To ascribe evil to God is satanism.

Sometimes I resort to a strange book from the eighteenth century, the century of enlightenment. It is an anonymous work, and I cannot say whether it was written by a Catholic, a Lutheran, or a Calvinist, for it contains the Christian philosophy of a man who knew the world and who knew people, and who was also a learned man and a poet. He usually gives me just the thought I need for the day or the hour. And if for a second I rise up and object to the unjust and unreasonable demands that he makes of a poor mortal, he is sure to raise the same objections himself. He is what I call a reasonable fellow who sees with both eyes and apportions right and wrong on both sides. Reminds me somewhat of Jacob Boehme, who found that every question can be answered with both a yes and a no.

On really important occasions I must resort to the Bible. I possess several Bibles from different periods, which say different things to me, as if they possessed different voltages for influencing me. One, in black cordovan, printed in Schwabach black letter in the seventeenth century, emanates incredible power. It belonged to a family of clergymen whose family tree is inscribed on the inside covers. Hate and anger are accumulated in this book; it does nothing but anathematize and pronounce punishment; no matter how I turn the pages I am always confronted by the maledictions of David and Jeremiah or their enemies. And I do not want to read those for they strike me as unchristian. When Jeremiah prays: 'Deliver up their children to the famine, and pour out their blood by the force of the sword; and let their wives be bereaved of their children, and be widows; and let their men be put to death,' and so on - this is not fit for a Christian to read. I can well understand that one might pray for protection against enemies that seek to drag one down when one is striving to mount higher, or against enemies who out of sheer malice take the bread from one's mouth. And I can also understand how one might offer thanks to God when the enemy is slain, for people everywhere have always sung a Te Deum after a victory. But to pray for and call down a specific punishment on my opponents, that I cannot bring myself to do; and I might say that what may have befitted Jeremiah or David once upon a time does not suit me now.

And then I have another Bible, in half-leather and with gold lettering, from the eighteenth century. Naturally it contains the same words as the other Bible, but the material is presented in a different manner. This book looks like a novel and always presents its best side. Even the paper is brighter, the typography gayer. I can speak to this book as Moses spoke to Jehovah. Moses dared to make some rather surly remonstrances. For example, when his people began to murmur and grumble again, and Moses was fed up with it all, he turned to the Lord and said almost reproachfully: 'Have I conceived all this people? Have I begotten them that thou shouldest say unto me, Carry them in thy bosom, as a nursing father beareth the suckling child? . . . Whence should I have flesh to give unto all this people? . . . I am not able to bear all this people alone, because it is too heavy for me. And if thou deal thus with me, kill me, I pray thee, out of hand . . .' Jehovah replies in a not unfriendly manner to Moses' objections and proposes to help him by distributing the burden of leadership among the seventy oldest. This is not the implacable, vindictive God of the Old Testament. Not that this worries me; I know that there are times when I feel closer to the Old Testament than to the New. And one thing is certain: for us born into the Christian faith, the Bible has the power to educate, whether because our forefathers deposited psychic energies in it at the same time they drew from it or for some other reason is hard to say. It is a fact that sanctuaries, temples, and holy books do indeed possess the power of serving as storage batteries, though only for believers. Belief is my individual starting battery without which I cannot make the dumb and silent parchment speak. Belief is my countercurrent that creates energy through induction; belief is a collector, and it must perforce be a conductor, otherwise it could receive nothing; belief is the rheostat that lowers resistance and permits the connection to be made.

That is why holy books do not speak to unbelievers. The unbeliever is sterile. His spirit has been so thoroughly pasteurized that nothing can grow in it. He is a negative number, an imaginary quantity, the obverse, the parasite that does not support itself but lives off his host. He cannot have an independent existence for he must have something positive to be negative against.

Ultimately there come moments for me when only something in the nature of Buddhism helps. Only very rarely does one get what one wishes for, so what good does it do to wish? Wish for nothing, ask for nothing of people and of life and you will always feel that you have received more than you could have asked for. And you know from experience that after you got what you wished for, it wasn't so much the thing itself that made you happy as it was the fact that your wish came true.

There are times when some being inside me asks: 'Do you really believe all this?' I immediately silence the questioner, for I know that belief is only a state of soul and not an act of the intellect, and I know that this state is salutary and instructive.

Nevertheless, it sometimes happens that I flare up against the unreasonable demands, the altogether too rigorous law, the inhuman punishments, and then I put aside my devotional manuals for a while. But I soon go back to them, admonished by a voice calling to me from the primeval past: 'I am the Lord your God, which brought you forth out of the land of Egypt, that ye should not be their bondmen; and I have broken the bands of your yoke, and made you go upright.' And then my rebellion dies. What an ungrateful, cowardly wretch I would be if I were to deny my deliverer before the world.

IV

Spring is coming again for the nth time. (After reaching a certain age one is reluctant to use figures.) But spring comes in a different way now than it did a number of years ago. The transformation used to begin when the streets of ice where chopped up, around Easter time. One could see every layer that had been deposited by the winter months, like stratums in a geological bed. Nowadays the streets of ice are not allowed to build up. Sleighs and sleigh bells and networks of tracks have become quite scarce. One might get the idea that the climate, like the age, has become Central European. Formerly, when the waterways were closed in the fall and there were no railroads, one found oneself quarantined in town, provisioned with salted food. And the coming of spring meant awakening to a new, fresh life. Now the icebreakers and the railroads have equalized the seasons, and there are flowers, fruit, and vegetables the whole year round.

Formerly one took out the inner windows early in spring, and the noise from the street would burst suddenly into the room, making one feel that one had regained contact with the outer world. The muffled quiet inside the house ceased, and one was awakened to a new life, not least by the increased light that was let in. Now the double windows stay in throughout the year. But in compensation the windows are not weather-stripped and may be opened at any time one feels like during the winter.

With the seasons evened out this way, spring slips up on one without putting on a big show - and consequently is greeted without any particular enthusiasm.

I welcomed this particular spring rather matter-of-factly and without any great expectations. - 'So it's spring. That means it will soon be fall again!' - I sat on my balcony and looked at the clouds. They tell me that spring has come. They gather in greater masses then, they are thicker and more clean-cut in outline. And catching a glimpse through a cloud ice-hole, one sees that the sky is nearly blue-black. And then in the distance I have the edge of a forest to look at - mostly pine and spruce - dark green, almost black, and spiny. To me it's the most characteristic aspect of Swedish nature. I point to it and say, 'That's Sweden.' At times this line of woods can look like a city skyline with its infinite numbers of chimneys, spires, pinnacles, peaks, and gables. Today, however, it just looks like a wood to me. Since the wind is blowing, I am certain that this whole clump of slender trees is moving and stirring, but, being two or three miles away, I can't actually see. I get my binoculars and then I see the whole contour of the spruce woods moving like the waves on the horizon of the ocean - which gives me great pleasure, especially since I feel I have made a little discovery. My heart soars off in that direction, for I know that the sea lies somewhere behind the woods. I know that hepatica and anemone are growing at the foot of those trees, and I get more pleasure from seeing them in my imagination than from seeing them in reality. I long ago grew apart from that nature which comprises the mineral kingdom, the plant kingdom, and the animal world. What interests me is human nature and human destinies.

Formerly I could lose myself in contemplating a blossoming orchard. I still think it's pretty, but not as pretty as I used to. I might try to explain this change in me by saying that I have a growing intimation that these are only faulty copies of more nearly perfect original images. Therefore I have no strong longing for the country, although I do notice a slight aversion towards the city, no doubt the result of a desire for change.

So I wander in my streets, where the faces of the people awaken memories and give me food for thought. And when I pass by the shop windows I see objects from all the lands in the world, objects wrought or elaborated by the hand of man. I am put in touch with all of mankind and provided with a whole world of impressions, colors, shapes, and all kinds of associations.

In the morning when the rooms in the ground-floor apartments are being cleaned and aired, the windows stand open. I pass by and glance in; naturally I don't stand there looking, but in that one moment I have surveyed an unfamiliar room and got a whiff of someone's life story. This morning, for example, I cast a glance into one of the older houses through a sliding windowpane and beyond an aspidistra, that ugly Japanese plant of the lily family that doesn't blossom in the light but puts forth blossom directly from its root just below the earth level, blossoms that look like star-shaped bits of flesh. Once past the plant, my eye glided over a writing desk, with its useful but tiresome tools, into a corner of the room where a white, square tile stove was standing. It was an old one, and the tiles, each funereally edged in black, resembled dirty fingernails. It had large doors on the Dutch oven and it stood in a corner that was made dark by the fantastically gloomy wallpaper. My first impression was of the 1870s and the dark rooms of that era, but I also had a vague sense of discomfort evoked by this moderately well-to-do middle-class home, which I would never have remembered if that window had not been open. The lives of certain people long forgotten came back to mind, and I saw them in a new and interesting light. Now for the first time I understood these people, so many years afterward, understood the tragedy of their lives, which I formerly held myself aloof from since it seemed so trivial and unpleasant. When I got home, I sketched out a new play. And all this I had got from an open shutter!

If I go out in the evenings when darkness has fallen and the lights are burning, the circle of acquaintances I peep in on becomes larger because I can look into the upper apartments also. I study the furniture and the fixtures, and am provided with scenes from family life. People who don't pull down their shades are predisposed to exhibit themselves and I don't have to be tactful or discreet. Besides, I take snapshot impressions and afterwards work out what I've seen.

And so one evening I walked by a beautiful corner apartment with large windows. . . . I saw furniture from the 60s crossed with curtains from the 70s, portiers from the 80s and bric-a-brac from the 90s. In the window stood an alabaster urn, yellowed like ivory by the breathing and sighing of people, by wine fumes and tobacco smoke, an urn without use or purpose, which someone finally had turned into a repository for calling cards - a funeral urn made to adorn a grave and now containing the names of all the friends who had come and gone, of all the relatives living and dead, of engaged couples and married couples, of those christened and those buried. Many portraits hung on the walls, from all ages and epochs, heroes in armour, wise men in wigs, ecclesiastics in clerical collars. In one corner stood a game table in front of a divan, and four strange creatures sat around it playing cards. They said nothing; their lips didn't move. Three of them were as old as time, but the forth was of middle age or thereabouts. He must have been the man of the house. In the center of the room sat a young woman, her back to those at the card table, her head bent over her crocheting. She was obviously working away at it but she took no interest in it - simply making the time pass, stitch by stitch, measuring out the seconds with her needle. Then she held her crochet work up and looked at it as if she were telling time on a clock. But she looked beyond her crochet clock and into the future - and her glance sped out through the window, past the funeral urn, and the rays from her eyes met mine out there in the darkness, though she couldn't see me. I thought that I knew her, that she was speaking to me with her eyes, though of course she wasn't. Then one of the mummies at the table said something. The woman replied with a movement of her neck, without turning around. And then as if her thoughts had been interrupted, or as if she had momentarily given herself away, she dipped her head lower than before and let her second hand go ticking away. Never have I seen boredom, tedium, weariness with life so epitomized as in that room.

The face of the man at the card table changed expression continuously. He seemed to be uneasy, as if waiting for something, and the mummies shared his uneasiness. Every once in a while they would cast a glance at the clock on the wall, whose longer hand was approaching the hour. Probably they were waiting for someone, someone who would drive away their boredom, bring something new into that room, give them a shaking up, perhaps even turn their lives upside down. As if on tenterhooks with the fear that that might happen they were afraid to devote themselves to the game. They played their cards tentatively, as if they expected to be interrupted at any moment. But no pauses in their play, no expression, no gestures. They moved like mannequins.

What was meant to happen happened. 'What luck!' I said to myself as the portiers moved and a maid in a white cap came in to announce someone. A spark of life flew from person to person in that room, and the young woman turned halfway around as she rose to her feet. At the same instant the clock on the wall struck the hour so loudly that I heard it out in the sidewalk, and I saw the minute hand jump to twelve.

At that moment a passerby bumped against me. I came to so suddenly that I literally felt I had been thrown out into the street, out of that room where I had been in spirit for a long two minutes, living a fragment of the lives of these people. I continued on my way, a little ashamed. I considered turning back to see the rest of the story, but changed my mind when I thought to myself, 'I already know the end; I've been in the same situation more than once!'

* * *

Spring comes, very much like it used to in bygone days, but still it isn't the same. Formerly the first sign was a lark on the parade grounds, but now there aren't any larks in that migratory stop, so the chaffinch in Humlegården and the starlings in Fågelbacken are now the heralds. But one thing hasn't changed: April is still moving time. I have always thought it was horrible to see furniture and household goods out on the sidewalk. Homeless people forced to lay their very entrails open to public gaze. They blush with shame. That's why one never sees the owner standing nearby watching his property. He would rather let strangers take charge of his things, which in the harsh light of day reveal all their defects. This sofa with the table

standing in front of it was tolerable enough in the soft
light of a room but out in the sun the stains and tears
are exposed to view. And the fact that the fourth leg
was loose didn't matter inside, but here on the side-
walk it has fallen completely off.

If any face is to be seen behind one of the cartloads,
it is a face filled with worry, agitation, anxiety. But
moving and traveling are meant to be a part of life.
Pulling up roots, getting shaken up, being turned in-
side out, setting out again on a new phase of life. Sitting
in my peace and quiet, I, who have never done anyt-
hing but travel and move from place to place, recalled
my impression of a roving life, and these gathered and
coalesced into a poem that I called 'Ahasverus.'

AHASVERUS

Ahasverus, up and wander!
Take your knapsack and your staff;
your destiny is not like of others,
there is no grave awaiting you.
You had a cradle and a beginning.
but you will have no end,
you must tramp through the sludge for eternity,
and wear out many shoes.
While you waited for the Messiah,
time has passed you by;
do you still believe you shall be delivered,

do you still hope for an amnesty?
Or do you wish to be redeemed
in the flesh as Elijah was?
Out, out on the paths, out to the roads
out from your warm rooms;
your fields lie unplanted,
razed like Capernaum
is your house, your home devastated;
wife and children have bidden farewell;
nothing salvaged after the fires,
land and house lie in ruins. Climb aboard
the train with your knapsack and staff
and do not look back.
Bless him who gives and takes
for teaching you the art of doing without!
No familiar face, no friend is there
to wish you luck on your journey!
What does it matter! It is much easier
to take the plunge into the cold world!
And the train pulls away from the station's quay,
a rolling range of wooden houses,
a traveling city with people and animals.-
There is a post office and a restaurant and shops,
and bedrooms behind the thick curtains.
Now it moves forward, a whole city on wheels,
irresistible! It moves through walls,
it crawls through mountains like a snake

into its den,
it walks on water, and the fire horse neighs;
it covers the country with seven-league steps;
a whole kingdom is merely a step next door.-
Bur the land comes to an end, one stands on
the seacoast.
Now Ahasverus, you cut loose from the land,
and everything that formerly held you close to life
lies deeply buried behind the horizon.
Look at the clouds how heavily they move
and the swelling seas,
the rising and falling seas,
on which your foot can find no hold
and you can never reach a place to rest.
Neither day or night, neither sleeping nor waking;
now up, now down, hither and thither,
under the constant moaning and squeaking
and creaking
of ropes and timbers, of bolts and rivets.
Torture for the body, torture for the soul,
an instrument of torture floating on the water.
Confess your guilt, consider your weal,
when you hear the roar of the breaking surf!
It cannot be far to a safe shore,
you think! But the skipper is afraid of
running aground,
and points the bow toward the high seas;

he flees the sought-for hand that saves
and turns his tack on the peaceful isles;
for the sea may be false,
but the coast is even falser!
When the wind is with you and blowing hard
then you may expect the hardest blows.-
To sea! Put out onto the grey-green fields,
where the ship plows and the rain clouds sow,
where nothing grows in the plow's furrows
and no one lives under heaven's tent.
Today it assembles a tarpaulin made
as protection against the rain, ever-increasing.
But others might hold that it was made to protect
the blue of heaven against the smoke of steamships,
against the dust of earth, the pricks of flies,
or as a shield against evil looks.
Ahasverus stands in the bow,
gazing at the gray wall,
his eye moist, his hand knotted into a fist,
his mouth a sharp slit in a beard turned white.-
No mirages loom before him,
memories have all died out,
hope itself seems to deny him;
he must live in the present,
this present that is a torture,
without meaning, without purpose
as unanswerable as a senseless question,

as dead and useless as a flint without its steel.
Out in the gray nothingness stares
the wanderer, imprisoned on a deck,
stares dully, listlessly down into the depths,
feels as if he had been sacked and drowned.

V

After many setbacks spring finally arrives, and what a
feast it is to walk under the linden trees that first mor-
ning when the leaves have just come out and to the let
the soft green filtered light fall gently on my eyes. The
spring air is perfectly still, friendly, caressing. The fine,
dry sand beneath one's feet suggests a fresh, clean new
world. The new grass covers last year's leaves, dirt,
and litter as the snow does in autumn. The tree skele-
tons begin to flesh out until finally a high back-drop
of deciduous trees stands like a green bank of clouds
over the shoreline of the bay. Formerly driven by the
cold and the wind, I can now take my time, walk
slowly, and even sit on a bench. The edge of the wa-
ter under the elm trees is dotted with benches. There
sits the yellow man, my unknown enemy, coat unbut-
toned and reading a newspaper. Today I could tell,
precisely by looking at the name of the paper he was
reading, that we are indeed enemies. And I could also
tell from the look in his eyes when he raised them over

the edge of the paper that he had read something about me that made him feel good, and he was thinking either that I had already read the poisonous item or would soon do so. But there he was mistaken; I never touch that paper.

The major has lost weight and the approach of summer seems to make him uneasy. It probably doesn't make any difference to him where he spends it, but he has to get out of town in order not to be left entirely out of his class and made to feel like a member of the proletariat. This morning he stood out on a little point of land apparently counting the small waves that lapped the stones. He waved his cane in the air for no good reason, just to do something. Suddenly from the other side of the bay a trumpet signal sounded. He started - and then he saw over on the drill field a company of cavalry popping up from behind a rise, helmets first and horse ears. And then the cavalry charged, making the ground thunder. Shouting, yelling, clattering, the orderly mass rolled forward. The Major lived every second of it. I could see by his bandy legs that he had been in the cavalry. And perhaps this was his regiment - from which he was now discharged, benched. That's life, yes indeed.

My occult old woman is the same summer or winter, but this past winter had its effect on her and she has taken to using a cane. Moreover she now puts in an appearance and joins the party just once a month, like the Queen of the World with her dogs.

But with the coming of the sun and the spring some new walkers and wanderers have penetrated into our circle who I feel do not belong there. The conception of property rights is so elastic that I had come to feel that my morning walk through this scenery belonged to me alone. I can't help looking askance at these strangers, if I look at them at all. In my introspective mood I don't wish to make contact with people by exchanging glances. However, people expect this kind of familiarity and speak indignantly of anyone 'who won't look at people.' Although they assume they have the right to peer into those they meet, I have never been able to understand where they acquired that right. I consider it a kind of trespassing, an invasion of my personality, at least an intrusion. Even when I was young, I made a sharp distinction between those who returned a look and those who did not. Now it strikes me that exchanging glances on the street with some stranger signifies: 'Let's be friends, and no more!' But with people who look brazenly at me, I find myself incapable of entering into a friendly alliance. I prefer neutrality, or, if necessary, a war-like basis. Friends always acquire some influence over me, and that I don't want.

This encroachment on my privacy takes place only

during the spring. Come summer, the strangers have gone off to the country, and the street and lanes are just as lonely and empty as in the winter.

And now the longed for summer has arrived. It's an accomplished fact, and I have become indifferent to it. For I live in my work, looking ahead, sometimes looking behind me, at my memories, which I can treat like a child's building blocks. I can make all sorts of things with them, and the same memory can serve in all sorts of ways in a single dream structure of the imagination, turning up different colored sides. And since the number of arrangements is myriad, I get a sense of infinity as I play this game.

I don't have any special longing for the country, but sometimes I get the feeling that I have been negligent in not taking a walk in the woods or a swim in the sea. Also, I feel strangely ashamed at being in the city, since a summer vacation is one of the prerogatives of that class of society to which others assign me - I personally count myself as outside society. And furthermore, I have the feeling of being deserted and abandoned, knowing that all my friends have left town. It's true I didn't look them up when they were here, but I felt their presence. I could transmit my thoughts to them at a certain address, and now I've lost track of them.

Sitting at my desk I can see between the window

curtains a bay of the Baltic Sea, and on the far side of it the gray-black cliffs, rounded and eroded; below them at the water's edge, the white lines of beach; above them, the black forest of fir trees. Sometimes I am seized with a longing to go out there. All I have to do is to take up a telescope and without moving from my spot, I find myself transported there. I pick my way over the rocks on the beach, where yellow and purple loosestrife grow under the alder trees among old fence posts, reeds, and straw washed clean by the waves. In a crevice of the cliff the ferns on top of the lichen and moss force the sweetroot to spread like ivy. A few junipers are reconnoitering on the edge of the cliff, and behind them I can look deep into the forest of firs, especially if the sun is low. Then I see bright green chambers with soft liverwort and a light undergrowth of aspen and birch.

Sometimes I see some life moving, although not very often. A raven pecking around - or pretending to peck at something, for it looks very self-conscious and mannered, even though it doesn't know it's being watched. Obviously it's preening and showing off for one of its own kind.

A white sloop comes gliding by. Someone is sitting at the helm behind the mainsail, but all I can see are elbows and knees. Behind the foresail sits a woman. The boat slides effortlessly, and the sight of the wake

195

behind it evokes for me the sound of the soothing ripple, ceaselessly slipping past and ceaselessly recurring. Therein lies the secret pleasure to sailing, apart from the thrill of controlling the helm and contending with the wind and the waves.

One day I captured a whole little dramatic scene in my telescope. The stony beach there in the distance had never been tramped on by a mortal (in my telescope); it was my private property, my retreat, my summer home. But one day I saw a punt make its appearance from the right side of the glass. The boat was occupied by a ten-year-old girl, in a bright dress and red tennis cap. I think my first words were, 'What are you doing here?' But the improbability of the situation held my attention.

The girl pulled into shore neatly, drew up the oars, and climbed back into the boat to fetch a shiny object at the stern. My curiosity was aroused; I couldn't make out what it was she had picked up. I gave the telescope a twist and saw she was holding a little ax in her hand. . . An ax in a child's hand? Now how could those two things go together? Some secret was eluding me, something sinister, unpleasant. For the girl walked along the beach, apparently looking for something, as one does when one walks along beaches, hoping to find some strange object that the inscrutable sea has cast up. . . . Now, I said to myself, she'll start throwing stones into the water; children can't look at stones and water without throwing the former into the latter. Why is that? There's a secret reason for that too, no doubt. . . . Now what did I say? She was throwing stones! And she started up the cliff! . . . And of course she would eat sweetroot, for she was a city girl and had gone to school in town. (The country children never eat sweetroot, which the city children call licorice.) . . .

No, she went right on past the clump of ferns, which proved (?) she was a country child. . . . She went up towards the juniper bush, leaving a branch hanging limply, and then moved on. . . . I had it! She was cutting wood for a little picnic fire!. . . No, she climbed still higher and reached the edge of the woods. She stopped and seemed to be considering the length of the lower branches, which were especially thick with bright green needles. . . . Suddenly she jerked her head and her eyes followed some object in the air. Must have been a bird that flew up because she moved her neck with the same staccato movements one observes in the flight of the wagtail, a series of repeated falls.

Now she began to reveal what she was really up to. She grabbed a branch with her left hand and began chopping off little twigs, small, small twigs. But why spruce twigs? They're for funerals, and the child was not dressed in mourning. - Objection: the child is not necessarily related to the deceased. -Sustained.- The twigs were too small to be used for making brooms or for spreading on the front porch; and on the cottage floors the folks around here only use juniper cuttings. . . Maybe she was from Dalarna where they use spruce instead? ... Never mind, something else was happening now. Three yards away from the girl the lower branches of a large spruce moved upwards. A cow stuck its head through and mooed - I could see its open mouth and stretched neck. The girl stopped dead in her tracks, her whole body frozen with fear. She couldn't run, she was so frightened. She strode forward: her fear caused a reversal of current and turned into courage. Ax raised high in her hand she approached the cow, who, after a moment's hesitation, resentful that her friendly gesture had not been appreciated, turned and withdrew to her hiding place.

For a second I had been so scared I reached out to defend the child. But now the danger was over, and I put away the telescope, observing to myself how difficult it was to be left in peace. Imagine, in the quiet of one's home to be drawn into faraway melodramas! And I couldn't stop worrying and wondering about those spruce twigs. What on earth were they for?

* * *

My neighbors in the apartment house have moved to the country, and the building seems cold and empty. I feel as if all the tension and all the life had gone from it. These vectors of force that exist in every family in the shapes of man, wife, children, and servants, these components of energy have gone and left only an empty diagram behind them. And the house, which always seemed to me an electric generator that I could plug into, has had a power failure. I stop dead. My contact with people is broken off. I miss all the little sounds from the different apartments that used to stimulate me. Even the dog who woke me up for my nocturnal meditations or aroused my wrath, got me good and mad, healthy mad, has gone and left me desolate. The singer is silent, and I can no longer hear Beethoven. Nor do the telephone wires in the wall sing to me, and when I climb up and down the stairway I hear my steps echoing through the empty rooms. Every day is as quiet as a Sunday, and in place of the sounds I used to hear I hear a ringing in my ears. I pick up my own thoughts as spoken words. I seem to be in telepathic contact with all my distant kith and kin, all my friends and enemies. I carry on long, orderly conversations with them, or repeat the old debates and arguments held at dinner parties or in restaurants. I oppose their silly ideas, I vigorously defend my own point of view, and I'm so much more clever and fluent than when someone is actually listening. Life becomes richer - and easier. Less wearing, less irritating, less embittering.

Sometimes this imaginary colloquy is built up to the

point where I find myself arguing with the whole country. I sense how they respond to my latest book, which is still in manuscript. I hear how they discuss me near and far. Of course, I know that I am right and am only surprised that they don't realize it. I apprise them of a newly discovered fact; they deny it, or reject the source and cast doubt on the authority quoted, although they themselves usually cite the same authority. To me the situation is always one of conflict, of attack and hostility. I guess we are all enemies to one another, friends only when it pays us to fight together against a common enemy. That's the way the world is.

Yet, in spite of everything, this subjective inward life, however vivid it might be, leaves me at times longing for reality. My senses grow rusty and want to be put to use. I want to hear, above all, to see; otherwise my senses will dispense with the operator and begin to run themselves, out of an old habit.

This time my wish had not even been expressed before it was fulfilled. The drill field below my windows began to fill up with troops. First came the infantry. Men with metal pipes containing a gas-producing element, which, when ignited, expelled pieces of lead. They looked like streaks split at the bottom. Next there appeared variable combinations of people and four-footed animals - the cavalry. When a single rider came galloping along, the horse made the same movement as a boat in the waves. The rider was the helmsman - only he steered with the sheets in his left hand. And when the whole troop came parading down in closed ranks, there was created a mighty parallelogram of forces exerting several hundred horsepower even at a distance.

The artillery, however, makes the strongest impression, especially when they are running in competition. The ground shakes so that my ceiling lamp sways and trembles. Later when they unlimber, put the guns in position and fire, the ringing in my ears stops automatically. Before I got used to it, I felt like suing them for assault and battery, but after a few days firing, I found the explosions rather salubrious. They kept me from dozing off into the eternal silence. And at the discreet distance that I keep the war games look like a play staged especially for me.

* * *

Though the afternoons and evenings keep growing longer and longer, I know from experience that it's no use going out for a walk. The streets and the parks are filled with the sad faces of those who are stuck in the city and can't go out into the country. Now when the more fortunate souls have evacuated the best parts of town, the poor people from the suburbs come in and take over the empty places. This gives the city an appearance of a town caught in an uprising or an inva-

201

sion; and since beauty generally goes where the money is, it's not a pretty spectacle.

One Sunday afternoon when I felt I was on the same footing as the less fortunate souls, I decided to cut loose, to take a ride and look at the people.

I hailed a cab at Newbridge and climbed in. The cabman seemed sober, but there was something strange about his face that did little to calm and reassure me. As he drove down the Strand, I noticed a river of humanity flowing past on the left side, while I kept looking out over the water to the right, over the islands and bays to the hazy hills in the distance.

All of a sudden something right ahead of us caught the cabbie's attention and mine. A huge bedraggled beggar's dog, with hair so matted that he looked like a fat wolf pretending to be a sheep, low forehead, nasty, evil eyes, and so dirty that it was impossible to tell what color he actually was, started to run after the front wheel and attempted to leap up on to the cabbie's seat. He finally made it only to be kicked off by the driver.

'What on earth is that?' I asked, astonished not only at the monster's agility but also at the strangeness of the whole incident.

The driver muttered a few words from which I gathered that it was not his dog. But when he began whipping the horse, the dog made another attack and tried to leap into the carriage with me while we were going at full speed. At the same time I noticed a commotion among the streaming mob, and when I turned in that direction I discovered a parade of humanlike creatures following the struggle between the cabman and the dog, and obviously sympathizing with the dog. When I looked more closely at these creatures I found that the vast majority were cripples, crutches and cranes mingling with crooked legs and broken backs - dwarfs, faces without noses, and club feet without toes. All the misery and wretchedness that had been in hiding during the winter had now swarmed out into the sun to make its way into the country. I have seen such humanoids rendered in Ensor's masked mummeries and in Gluck's Orpheus in the Underworld, and I thought then that they were merely fantastic exaggerations. Not that they frightened me now; I could explain their appearance and behavior. Nevertheless it was disturbing to see all those unfortunates parading by on the town's finest street. And I could feel their perfectly justifiable hatred squirted like venom over me, the man in the carriage, while the dog was the embodiment of all their collected feelings. I was their friend, but they were my enemies! Strange.

As we rode into the Deer Park, this stream of life met a countercurrent. But the two currents flowed through and past one without so much as a glance at the clothes and faces of the other group. Deep inside they knew that they were all alike. But they looked at me. Now that I had two files to pass between, I was forced to look at one or the other. I felt ill at ease and depressed, alone and lost, and had a sudden longing to see a familiar face. I wanted to be reassured with a glance of friendship or recognition. But no such luck.

As we passed by Hasselbacken Restaurant, I let part of me run up the steps to peep into the garden where I was almost certain someone I knew would be sitting.

Now we were getting near the plain of the Deer Park, and I had a premonition that I was bound to meet someone I knew or recognized, bound to! I could not say exactly why, but it must have had some connection with a sinister tragedy that occurred in my youth, a tragedy that utterly destroyed a family and left its mark on the lives of the children. I can't precisely how I associated this tragic drama with the Deer Park plain, but the connecting link must have been a barrel organ and 'the banner on a pole' picturing a murder under horrible circumstances in which the murdered man was actually innocent but the shadow of guilt, not to say the guilt itself, fell on him.

What happened now? Well, the man in question, that is, the son, now gray-haired, unmarried, highly respected, came walking along with his white-haired mother on his arm! Thirty-five years of inner torment and undeserved suffering for someone else had given their faces that peculiar pallor of death. But what were these rich and respected people doing in this crowd? Perhaps they were being pulled by that force which draws like to like. Perhaps they found some solace in seeing others who had suffered just as much and just as undeservedly.

The fact that I had a premonition I would see them has its secret causes buried down in the soul, causes no less strong and effective for all that.

On the plain, new forms of wretchedness appeared. Children on bicycles, eight, ten years old, with evil faces; little girls, old for their age, with traces of potential beauty distorted by corruption. Even where there was a pretty face, there was some fault that marred it, a wrong proportion, a nose too big, a gaping tooth, bulging, frog-like eyes encroaching on the forehead.

Farther on the crowd began to thin out, and small groups of picknickers had deployed themselves in the grass. But I was struck by the fact that they were groups of three, with two men and one woman in each - the first act of a pastoral drama that would end tragically with the knife.

Hereabouts the cab driver began to talk to me and to treat me to his stories. It wasn't that he was being too familiar that bothered me; but he disturbed my thoughts, and that irked me. And when his comments on the various ladies riding by led my thoughts into

channels I didn't want to explore, I felt he was a tor-
turing spirit, and asked him to take me home.

More disappointed than hurt by my order, he tur-
ned around in the next intersection. At the same mo-
ment another cab cut in front of us. There were two
drunk women in it, demimondes. The cabby tried to
pass them but the crowded road prevented him. So I
had to ride behind these two women, and when the
traffic forced them to stop, I had to stop too. It loo-
ked as I if were chasing them. The ladies found this
extremely amusing, and so did the people in the street.

I ran this gauntlet all the way into town until I fi-
nally got off at my front door, feeling as if I had been
released from a bad dream.

'Better to be alone,' I said to myself, and that was
the last time I went out in the afternoon that summer.
Keeping oneself company is best; still, one has to be
on guard against the bad.

* * *

Consequently I stayed in the house, enjoyed my peace;
imagined that I was beyond the storms of life; wished
I were a little bit older so that I would not feel life's
temptation; and believed that the worst was behind
me.

And then one morning as I was having my coffee
the maid came to me and said, 'Your son was here, but
I said you were still in bed.'

'My son?'

'That's what he said.'

'That's impossible! What did he look like?'

'He was tall, and . . . well, he gave his name and said he would come again.'

'How old was he?'

'Young - seventeen, eighteen.'

I was struck dumb with apprehension, and the girl left. So it wasn't all over! The past was rising from its grave. Though it was piled with dirt and the grass on it was old, the past was not dead. My son who went off to America with respectable people when he was nine years old, and who I thought had made a career for himself. What had happened? Some accident, naturally - or several.

What would it be like to see him again? That terrifying moment of recognition, when you seek in vain for the familiar features of the child's face, those features that you helped shape from the cradle on, as you sought to make him as good as possible. In front of your child you always tried to show your best side, and for that reason you tried to catch the reflections of your better nature in that pliable and impressionable child's face, which you loved as a better version of yourself. Now I was to see it again, deformed and distorted. The growing adolescent is ugly, disproportioned, showing forth in terrible mixture both the angel in the child and the waking animal in the young man; filled with intimations of passion and conflict; fear of what is to come and remorse over what he had already experienced - and always that constant, restless sneering at everything; hatred of everything that is above him and represses him; which means hatred of the older generation and of those who are better off. And, above all, a distrust of life itself that had just transformed him from an innocuous child to a predatory man. I knew all this from my own experience and remembered how disgusting I was as an adolescent when all I thought of, however I tried not to, was food, liquor, and all the coarsest pleasures. . . . It wasn't necessary to remind me of this again; I already knew it, and I felt I could not be blamed for the way nature had arranged things. And, wiser than my own parents, I had never demanded anything from my son in return. I had brought him up to be a free and independent man and taught him from the first that he had certain rights as well as certain responsibilities to life, himself, and his fellow man. But I knew that he would come to me to make extravagant demands stretching back to infinity, although his claims on me ceased when he was fifteen. And he would grin and sneer when I spoke of his responsibilities, I knew that too - from my own experience.

If it was only a question of money, I wouldn't mind.

But he would make demands on my person, even though he despised my company. He would lay claim on the apartment, which wasn't mine, my friends, whom I missed, my relatives, whom he thought I possessed, my name, with which to establish his credit.

I knew he would find me boring and that he would bring home ideas from a strange land and entirely different outlook, with different manners and attitudes; that he would treat me like an old fossil who didn't understand anything at all - since I was neither an engineer nor an electrician.

And what about his character and his propensities? How had they developed during these years? Experience has indeed taught me that one remains throughout life pretty much the same as one was born. No matter how he was rigged up, every human being that I had observed sailing through life from childhood on was as a rule still the same man at fifty, with very few changes. It's true that many of them had suppressed some of their more glaring faults, unsuitable for social life; some had acquired a polish that concealed their worst side; but at bottom they were the same as they had been. In the case of the exceptions, certain traits had grown and spread, sometimes moving from virtue into vice. I remember one fellow whose firmness and tenacity had turned into stubbornness, whose sense of order had hardened into pedantry, whose thriftiness had taken root as stinginess, whose love for civilized men had been converted into hatred of the uncivilized. But I also remembered a man whose bigotry had been slowly distilled into piety, whose hate had turned to forbearance, and whose obstinacy had become firmness and strength....

After brooding for a while, I went out for my morning stroll, not in order to put aside painful thoughts but to face them and to accommodate myself to the inevitable. I considered every possible course that the meeting with my son might take. But when I came to the questions about what had happened from the time of our separation until now, I trembled and wanted to turn tail and run away. However, experience had also taught me that one's back is the most vulnerable side and that the chest is protected with a shield of bones, evidently meant for defense. So I decided to stand my ground and bear the blows.

Steeling my nerves and emotions, and adopting the dry and matter-of-fact attitude of a man of the world, I drew up my program. I would find a room for him in a boardinghouse, after having bought him some clothes. Find out what he wanted to be. Get him a job immediately. Above all, treat him as a respectable stranger who would be kept at a distance by the absence of any confidences on my part. To protect myself against any invasion of my privacy I would pretend that the past didn't exist. I wouldn't give him my advice, and I'd leave him completely free to do as he pleased - he certainly wouldn't be likely to take my advice anyway.

Done! And done with!

My mind made up, I headed back home. Yet I was fully aware that a change had taken place in my life, a change so radical that the street, the country, and the town took on a different appearance for me. When I had gotten halfway across the bridge and was looking up the avenue, the shape of a young man came within range of my vision. I shall never forget that moment. He was tall and gangling, walking hesitantly as if looking or waiting for something. I saw him stare at me. Just as he seemed to recognize me, a shiver coursed through his body, and then I saw how he pulled himself together, stood up straight, and crossed the avenue, headed straight for me. I grouped my forces for defense, heard myself clear my throat to summon up a light, pleasant tone of voice in which to say, 'Hello, my boy!'

Now we were only a stone's throw from each other, I saw how déclassé he looked. Just what I was most afraid of: he had come down in the world. The hat on his head wasn't his; it didn't fit him. His trousers hung loosely; the baggy knees were too low. His whole appearance was shabby and out-at-elbow. Decay and corruption inside and out. Like a waiter out of a job.

Now I could make out his face, thin and unpleasantly bony. And I could see his eyes, large blue eyes, in sunken blue-white sockets. It was he!

This down-and-out, up-and-growing boy had once been my little angel, whose very smile could make me throw out the ape theory and the origin of the species, who used to be dressed like a little prince and who once did in fact play with a real little princess down in Germany. . . .

Like a sharp blow I felt the whole rottenness of life. But without a vestige of self-reproach, for it was not I who had abandoned him.

We were only a few steps apart! - A doubt sprang up. Was it he? And in the same second I decided to pass by leaving it up to him to give a sign a recognition.

One. Two! Three! -

He went past!

'Was it he, or wasn't it?' I asked myself as I headed for home, certain that he would show up no matter what the circumstances.

Safe at home, I called in the maid to get more information from her and especially to find out if the man she had seen could have been the one I had passed. But it was impossible to settle the matter, and I was kept in suspense all morning. At one moment I would be hoping that he would come right away and put an end to the affair. The next moment I thought the situation had been so completely exhausted that nothing more could happen.

Lunch was over. The afternoon passed. And as it did, I got a new slant on the matter that made it even worse. He had assumed that I didn't want to say hello to him, that was it! I had frightened him and he had crawled away like a dog - was wandering dazedly in a bewildering town in a strange country - had taken up with bad company - perhaps fallen into despair. Where and how could I find him now? The police!

That's how my thoughts went round and round torturing me. I don't know why it was not I who had been in charge of his bringing-up. And I felt as if an evil power had forced me into this situation to put the blame on me.

Evening finally came. Then the maid entered with a calling card - on which was printed - the name of - my nephew!

When I was strapped in my solitude again, I felt relieved that the anxious moments I had gone through had resolved themselves into projections of my imagination, which for me had had the same effect as the real thing. Still, these imaginings of mine had forced themselves upon me so importunately and so irresistibly that I felt there must have been some solid reason for their existence. Perhaps, I said to myself, perhaps my son in a faraway land was a prey to similar sensations. Perhaps he was in need, longed for me, 'saw' me on some street just as I had 'seen' him, and was torn by the same doubts. . . .

With that, I stopped worrying that particular bone and buried the incident away among other experiences I had had- But I didn't write it off as some kind of joke. Not at all. I kept it as a precious memory.

The evening was gloomy but peaceful. I couldn't work. I paced the room and kept glancing at the hour hand of the clock. Finally it got to be nine. Now I looked forward with dread to the last long hour that remained. It seemed as long as eternity itself, and I knew of no way of shortening it. I hadn't chosen to be alone; solitude had been forced on me; and I hated it as a prison. I wanted to break out. I wanted to cry out, I wanted some release, an eruption. I wanted to hear music, something magnificent, overwhelming, music by someone who had suffered all his life. I wanted to hear Beethoven, and I began to rouse in my inner ear the sleeping notes of the last movement of the Moonlight Sonata, which has become for me the must sublime expression of humanity's yearning for liberation and deliverance, of a sublimity that words cannot approach.

Twilight had fallen. The window was open. Standing in the light the flowers on the dining-room table, silent, still, fragrant, reminded one that it was summer.

Then I heard, distinctly, as clearly as if it came from the next room, that mighty allegro - of the Moonlight Sonata - unroll like a gigantic fresco - I saw and heard at the same time. Not knowing whether it was a delusion or not, I felt a shudder run down my back, the tremor that comes from suddenly confronting the unknown. The music came, you see, from my unknown benefactors in the house next door - and they were in the country! Of course, they could have returned on some errand. No matter. The music was being played for me, and I accepted it gratefully, feeling now I had company in my solitude and was joined to other poor human creatures who shared my mood.

Now if I confess to you that the same allegro was repeated three times during that long hour, the incident appears even more inexplicable. But that was precisely why it gave me even greater pleasure. And the fact that no other piece was played I interpreted as a special sign of grace.

Finally the clock struck ten, and blessed sleep put an end to a day that I shall long remember.

VI

Summer has crept forward to the first of August. The street lamps are turned on, and I welcome them. They mean autumn and autumn means some progress has been made and that's the main thing. Something has been put behind and something lies ahead. The city begins to change its appearance. Now and then one can see a familiar face, which is comforting and reassuring. I even find the opportunity of saying a few words, something new for me, so new that the register of my voice has for lack of use been lowered and acquired a dull, husky ring. I feel it belongs to someone else.

The shooting on the parade grounds has ceased; my neighbors have returned from the country and settled in; the dog is back at his barking, day and night, and the family has started giving soirées once again, at which the chief entertainment consists in throwing a bone across the dining room floor and having the dog go after it, barking sharply as he chases and growling when the family tries to take it away from him.

The telephone is at work again, and the piano playing pursues its appointed course. Everything is the same as it was. Everything returns - except the major, whose obituary I read in this morning's paper. I miss him as a member of my circle, but I can't begrudge him his death as he was having a miserable time of it ever since he had to lay down his arms and surrender to age and retirement.

The autumn days rush by, and life spurts ahead with the fresh winds that make breathing easier. Once again I take to walking abroad in the evenings, wrapping myself in the darkness that serves as an invisible cloak. This shortens the nights and deepens my sleep.

My habit of translating experiences into poetry provides a substitute for speech and functions as a safety valve for the excess of impressions that force themselves on me. What I experience in my solitude acquires a touch of premeditated design, and much of what happens seems to have been staged especially and exclusively for me. For instance, one night I witnessed a fire in the town, and at the same time I heard the howling of the wolves from the Skansen Zoo. These two threads were knotted together in my imagination, and combined with the appropriate warp they wove themselves into a poem.

THE WOLVES ARE HOWLING

The wolves are howling in Skansen,
the ice floes are roaring on the sea,
the pine branches creak on the hillside,
under the weight of the first snow.

The wolves are howling in the cold,
the dogs answer from the town;
the sun went down right after noon,
the night begins in the middle of the day.

The wolves are howling in the dark,
the street lamps spread their glow
like the northern lights high above
the huddled houses.
The wolves are howling in their pits,
now that they have tasted blood,
and long for the plateaus and the forests deep,
when they see the fire of the northern lights.

The wolves are howling on the mountain,
howling themselves hoarse with hate,
man took their freedom and gave them
a prison and the life of a celibate.

*

The wind is still, silence reigns, the clock in the city
tower has struck twelve!
Silently the sleighs glide by as if on polished floors.
The bell of the last streetcar has clanged,
no dog is heard in the streets,
the city sleeps, the lamps are out, not a tree branch is
trembling;
the heaven of night, dark as velvet, arches up to infinite
heights.
Orion swings his sword on high, Charles's Wain
teeters on two wheels.
The fires in the stoves have died out, only in the
distance is there smoke;

from a chimney obelisk it rises as if from a giant
kitchen;
it's the baker who through the night prepares us our
daily bread.

- - -

The smoke rises, bluish white, straight up; but – now
it's turning red.

Fire!
Fire! Fire! Fire!

A red-hot orb rises up like the moon at its full;
and the glowing red changes to white and to yellow
and blossoms
    like a sunflower.
Is it the sun, rising behind the pitch-black clouds over
    the sea of massed houses?
where each roof is the crest of a wave,
    as black as the grave.
Now the sky is aflame, and every tower and cupola in
town,
every spire and pole, every alley, every nook is
    as bright as at day!
Every cable, every copper wire turns red as the bass
strings on a harp.
On the house fronts every pane is afire, and the snow-
covered
    chimneys shine like beacons.

But it's neither the moon nor the sun! No bonfire this!
    It's a fire!   It's a fire!   It's a fire!

But Skansen hill, which only a moment ago lay in the
darkness of night, is bright
                and humming with life.
From the wolf pits comes a cry as if they had been
                stuck with knives,
a cry of hate, of revenge; the incendiary's joy,
                the murderer's lust,
in a howling laugh that comes from the foxholes.
They are happy,
                savage, satisfied,
And the bears in their cage are dancing and grunting
            as if a pig had been slaughtered,
only in the lynx's lair is there silence, and all one sees
is a
              shining row of smiling teeth.

*

And the seals bark out their cry of woe! Woe over the city!
The cry of a man drowning at sea.
And all the dogs howl in chorus;
yapping, yelling, barking,
pulling at their chains, their chains
whining, crying, moaning
like the souls of the damned!
They take pity, only they, the dogs,

take pity on their human friends, –
such commiseration!

Now the elk wake up, the sovereigns of the northern woods,
collect themselves and unbend their long legs,
stretch, trot, turn about
as much as their pen will allow.
Knock against the fence
like a sparrow against a windowpane;
mooing their confusion,
wondering if it is day again. –
A new day, but like all the others,
as deadly long and boring
with no other apparent purpose
than to lead us into night. – – –

Then the bird cage comes to life;
the eagles cry and flutter about,
trying out their rusty wings,
making a vain attempt to fly high,
hitting their heads against the iron rods,
bite the bars, claw, climb,
till they fall to earth,
and lie there lame,
wings drooping, as if they were on their knees –
kneeling, imploring,
for the coup de grâce
that would return them to the air
and to their freedom.

The hawks whistle and flash
like feathered shafts – hither and thither;
the buzzards whimper
like sick children. – – –
The tame wild geese are awake
and with stretched necks strike up
a chord of alpenhorns. –

The swans glide mutely,
snapping between the ice-bits
at the reflected flames,
that flash like goldfish
on the surface of the pond;
stop dead and stick their heads
into the black water –
the white swans –
biting fast to the bottom
in order not to see
the heavens burning up.

Darkness returns, the horns and the fire brigade
have consecrated to silence town and country;
a cloud of smoke reaches out over the skyline,
like some vast black hand.

※ ※ ※

    By means of books I limit my circle of friends to the
impersonal. Balzac, whose fifty volumes I have read

over and over during the last ten years, has become an intimate whom I never tire of. It's true that he has never created what is called art - at least it would not be called that at the present time when art is confused with literature. Balzac is always artless. One is never aware of the structure of his works and I have never noticed any particular style. He does not play with words, indulge in metaphors and similes, which belong to 'poetry' anyway. But on the other hand he has so strong a sense of design that the subject matter is always clearly presented without a word being wasted. He disdains all showy effects and works directly with the simplest means, like a storyteller among friends, sometimes narrating an incident, sometimes introducing characters who narrate, sometimes commenting on the action and explaining it. And to him everything forms part of history, contemporary history. He reveals every person, no matter how small, in the light of the present, but at the same time gives him a past history and show his development under this or that form of government, thus widening the perspective and furnishing a background for each figure. I am astonished when I read how Balzac was misunderstood by the critics of his time. This believing, trusting, tolerant man is described in my schoolbooks as a merciless physiologist and materialist, and so on. An even greater paradox is that the physiologist Zola hailed Balzac as his great teacher and master. Who can make sense of that? But the same thing holds true for any other literary friend, Goethe, who has of late been used for every conceivable purpose, and mostly in an idiotic effort to resurrect the pagan world. Goethe passed through many stages on life's way. Through Rousseau, Kant, Schelling, Spinoza, he reached his own position, which might be called the philosophy of enlightenment. He had solved all the problems; everything was so clear and simple that a child could understand it. And then came the moment when the pantheistic explanations of the inexplicable began to fail him. To the seventy-year-old Goethe everything appeared remarkably, extraordinarily incomprehensible. The mystic in him stepped forward and even Swedenborg was called in for advice. But all in vain: the Faust of Part Two had to bow down before the All Powerful, reconcile himself with life, turn into a philanthropist (and swamp reclaimer), become half a socialist, and be apotheosized with all of the apparatus that goes with the Catholic Church's doctrine of the four last things.

The Faust of Part One, who emerges from his wrestling match with God as victorious Saul, becomes in Part Two a defeated Paul. This is my Goethe! But though there is a Goethe for everyone, I cannot understand where one finds the pagan Goethe, unless it be in a few mischievous verse fragments in which he takes a whack at the clergy. Or in his 'Prometheus' in which the chained son of the gods can just as well stand for the crucified son, who scoffs at the impotence of the rejected Zeus.

No, it is the whole of Goethe's life and all the creative writing rising from it that appeals to me. While he was still growing up, an older friend of the poet gave him this key to his creativity: 'What you are striving to do, the goal of your work, is to render a poetic image of reality. The others seek to realize their so-called poetic dreams, their imaginative fancies, but they create only nonsense.'

Goethe quotes this in Aus meinem Leben, and in another place in the same book he himself says: 'Such was the beginning of that course from which I have never in my life been able to deviate; I mean, the transformation of whatever delighted or distressed me, or otherwise preoccupied me, into a poem or image, and in that way to deal with myself, in order both to rectify my conception of the outer world and to bring peace and order to my inner life. No one needed a talent for this more than I, possessing a temperament that constantly drove me from one extreme to another. Everything that I have published comprised the fragments of one great confession, which this little book is a bold attempt to complete.'

One of the pleasures I get from reading Goethe comes from his light touch. It is as if he could not take life altogether seriously, either because it lacked full reality or was not worth our rage and our tears. Also the temerity with which he approaches the gods in heaven, who are friends and relatives to him. And his contempt for forms and conventions, plus the fact that his mind was not closed to new ideas, that he was continually developing and renewing himself. This kept him always young, always in the vanguard, always ahead of his time.

Always, now as well as in the past, Goethe has been set up as Schiller's opposite, and the two of them are used to form an either/or, just as is the case with Rousseau and Voltaire. I don't find it necessary to chose between them; I have room for both since they complement each other. I cannot in so many words list the differences between them, not even formal differences. Schiller has a greater sense of form, especially in the drama, and his wings carry him to the same sublime heights as Goethe. Their development was the result of collaboration, for they influenced each other. That is why the pedestal at Weimar has room for the two of them. And if they reach their hands out to each other, I can see no cause why they should be separated.

* * *

It's winter again. The sky is gray, and the light comes from below, from the white snow on the ground. My solitude is in perfect harmony with the apparent death of nature, although being alone sometimes oppresses me too much. I long to see someone. But living alone has made me too sensitive, as if my skin had been stripped from my soul. I am so spoiled from being complete master of my thoughts and emotions that I can scarcely endure contact with another person. Any stranger who comes near me seems to cut off my air. He brings with him his own spiritual atmosphere, which infiltrates mine. However, one evening just as I found myself yearning for some company, the girl came in with a calling card. I was ready to receive anyone, even the most unsympathetic soul. The sight of the calling card delighted me, but when I read it I glowered. It was no one I knew. Never mind, I said to myself, it's a human being anyway. 'Show him in.'

After a moment a young man entered, very pale, quite nondescript in appearance, so much so that I couldn't tell what class he belonged to, especially since his suit hung so loosely on him. He was very withdrawn and self-conscious; kept on the defensive, alert, and watchful. After a few polite formalities, which put a chill on our meeting, as far as I was concerned, he came directly to the point and asked me for a bit of financial help. I told him that I was reluctant to help ut-ter strangers, since I had often helped the wrong person. At this moment I noticed a red scar on his forehead over his left eye; for a second it appeared blood red, and in that moment he seemed a monster to me. But in the next instant I was seized with pity for him in his deep despair, and realizing that I was in a somewhat similar position what with a winter's night ahead of me, I changed my mind. Not to prolong his suffering, I handed him the amount he asked for and asked him to sit down.

As he put the money in his pocket he seemed more surprised than grateful, and he looked as if he wanted to leave now that he had finished his business. To start a conversation I asked him where he came from. He stared at me, startled, and stammered, 'I-I thought you recognized my name.' He said this with a touch of arrogance that repulsed me, but when I confessed my ignorance, he spoke out calmly and with dignity.

'I have just been released,' he said, 'from prison.'

'Prison?' (This was beginning to be interesting: I was at work on a crime story.)

'Yes. I took twenty crowns that didn't belong to me. My boss decided to overlook the matter, and it was all forgotten. Until I decided to write for another paper - I'm a reporter, you see - write against the religious dissenters. And then it was all brought up again, and I was sent up.'

A delicate situation. I felt as if I had been challenged to express my opinion. Since I didn't want to, I parried and side-stepped the issue.

'Now, don't tell me that in these 'enlightened times' a man is going to be prevented from getting a job because he's been in pris-'

My last word was clipped off by the flash of anger in his face.

To help give him a new start in life I suggested that he should write for a certain people's newspaper, whose editor I knew was above sharing the cruel prejudice that will not allow a man who has served his sentence to return to society.

When he heard the name of the paper, he snorted contemptuously and protested, 'That's the paper I'm opposed to.'

This struck me as being perverse. I thought that in his present circumstances he would seize on any means that might restore him. But not knowing the whole situation and not wanting to waste time on explanations, I once again went round and about, motivated by a very human desire to get something in return for my money. Adopting an urbane conversational tone, I said, 'You know, I've often wondered how hard prison really is. What's the actual punishment?'

I could tell he thought I was being too inquisitive. I must have hurt him.

To help him out I didn't wait for his answer but answered myself. 'It's the lonesomeness, isn't it?' (I struck myself with that blow! - as often happens when one has to keep talking.)

He picked up the conversational ball very slowly and deliberately and tossed it back, 'Yes, that's true. I've never gotten used to being alone. It's always seemed to me to be a punishment inflicted on those who are bad in one way or another.'

(I had reached out a helping hand and look what I got in return! Bitten by the dog I was petting. Though he probably didn't realize that.)

A pause followed, and I could tell that he had cut himself with his last remark and was sorry he had said it. He hadn't been thinking of me when he pronounced judgment on the prisoner in solitary confinement.

Now the conversation had run aground and we had to find some way of floating it free. Since I was really in the enviable position, I decided to get him off the hook by demeaning myself in such a way that he would leave feeling that he had received something beside money. But I hadn't sized him up properly. I probably assumed that he regarded himself as a martyr, the innocent victim of an unscrupulous newspaper editor.

Yes, that was it. He had already forgiven himself and settled his account on the first installment. The real crime had been committed when the other person brought charges. Yet something in the air must have told the young man that he could not count on any support from me. The whole situation seemed to have arisen from a misunderstanding. He had thought I would be another type of person, and perhaps he was now aware that he had started off on the wrong foot and that it was too late to change.

So I attempted a different approach and pretending to have noticed his downheartedness and his shyness, I spoke what I thought were words of wisdom from the mouth of an enlightened man.

'You mustn't let yourself become despondent because you've been in - (I avoided the word.). Modern society has progressed so far that it considers a crime for which the culprit has been punished - (he sneered cynically) - as paid for, stricken from the record. Not long ago I was sitting with my friends at the Hotel Rydberg, and in the group was a former friend of mine who had done time - two years - in Långholmen Prison. (I deliberately used plain language.) And he was guilty of embezzlement on a grand scale.'

I paused to observe the change that I had expected to take place in him - a sigh of relief, his face lighting up. But he seemed only more hurt and angry because I had dared to compare him, the innocent and injured, to a confirmed criminal. But I caught a glint of curiosity in his eye, and when my brusque silence compelled him to speak, he asked, chopping his words, 'What was his name?'

'It wouldn't be right to say, if you can't guess who it was. But the point is that he wrote down his impressions of prison life and had them published, without trying to excuse himself for the inexcusable things he had done. And by doing that he has regained his former position and held on to his old friends.'

That hit him in the solar plexus, though it was meant as a pat on the shoulder. He got up. And so did I since there was nothing further to add. He bade farewell politely. But when I saw him from the back, and noticed his drooping shoulders and his dragging legs, I began to fear for him. I could see he belonged to those who appear to be composed of two mismatched halves.

After he had left I thought to myself. 'Maybe he made the whole thing up.'

But when I looked at his card, on which he had written his address, it struck me that I had recently seen that handwriting on an anonymous letter. I pulled out the drawer where I keep letters and begun to look for it. Now there's something one should never do. While I was looking for his, all the other letters in my desk filed past me, and my mind and heart got as many sharp stabs and pricks as there were letter writers.

After going through them three times, certain that that style of handwriting was there somewhere, I stopped hunting. The distinct impression had been formed in me: 'You are not to snoop around in this man's life. But you are to give him more money without further ado. You know best why!'

My apartment had undergone a change. The stranger had brought an oppressive atmosphere into it and I had to get out. There must have been strong stuff in that soul. I had to move the chair he had occupied in order not to see him still sitting there.

Then I went out into the fresh air, after I had opened the window - not to get rid of a physical odor but to rid the room of an intangible impression.

* * *

Some old streets have absolutely no atmosphere, while others have a lot even though they are new. The newer part of Knight Street is steeped in romance, not to say mysticism. No people are to be seen on it, no storefronts with doors open. It's elegant, distinguished, closed tight, deserted, although the apartment houses there hold the destinies of so many people. The fact that the cross streets are named after the bigwigs of the Thirty Years' War reinforces the impression of ancient history mingling pleasantly with the present. Turning the corner at Banér Street, one sees to the west a hill with Count Magnus Street twisting in at the right and closing off the view with a shadowy bend in which one can imagine all sorts of things.

If one comes back from the west, down the old part of Knight Street, and looks down Count Magnus Street, the bend appears very sharp, and the gloomy, castle-like houses there with their portals and over-hanging towers tell of destines on a larger scale. Magnates and statesmen live there, influencing the fates of nations and dynasties. But right above, up Count Magnus Street stands an old house preserved from the beginning of the previous century. I like to walk by this house, for that is where I lived during my stormy youth. There I drew up plans for my campaigns, plans that were later carried out successfully, and that is where I wrote my first important poem. But the memory of it is far from bright and cheery. Poverty, humiliation, squalor, and quarreling left their dirty fingerprints on it.

This evening, without knowing why, I had a longing to see this house once again. And when I came upon it, I saw it had not changed much - only cleaned up and with newly painted window heads. I recognized the long, narrow, tunnel-like entry way with the gutters on each side and the street door itself with an iron rod supporting one half of it, and the notices for pressing and ironing, hand laundry, shoe repairing. . . .

As I was standing there lost in my thoughts, a man came up behind me with quick, firm steps. He put his hand on my neck, as only the oldest of friends would do, and said. 'Trying to talk yourself into coming up to see yourself?'

He was a young man, a composer, with whom I had worked in the past and whom I knew very well.

Without further ado, I followed him into the house and up, up the wooden stairs, and, right enough, we stopped on the third floor in front of my door.

We walked in, he turned on the lights, and I drifted back thirty years in time. There was my old bachelor apartment, with the same wallpaper; only the furniture was new.

When we had made ourselves comfortable, I felt as if he were visiting me and not vice versa. However, there was a grand piano in the room, and so I immediately turned the talk to music. Now, like most musicians, my friend was so preoccupied with music that he could scarcely discuss anything else, nor did he want to. He knew practically nothing of what was going on in the world. If one mentioned words like parliament, cabinet, Boer War, strike, suffrage, he wouldn't open his mouth. Not, however, because he was in the least embarrassed by his ignorance or disconcerted by the choice of subject; it simply did not exist for him. And even when he talked about music, he spoke in nothing but generalities and never expressed any opinions. With him everything existed only as notes, bars, and rhythms; he used words only to express the basic necessities of life.

I knew what he was like, and I only had to point at the open piano to get him to sit down and play for me. And when he began to fill the little room with music, I felt as if I had entered a magic circle in which my present being was wiped out and my former self of the 1870s sprang to life.

I saw myself lying on a sofa bed that stood where I had been sitting a moment ago, in front of a closed-off door. And it was night . . . and I was awakened by my neighbor who was lying just on the other side of the door, restlessly tossing on his sofa, sometimes sighing heavily, sometimes moaning. Being young, unafraid, and selfish, I was only interested in getting back to sleep. . . It was only twelve o'clock and I dismissed the sounds from my mind by telling myself my neighbor had come home drunk. At one o'clock I was jolted awake by a cry of distress I thought had come from me, for I had been having a bad dream. Not a sound came from the room next door, absolutely not a sound. But I felt something distinctly unpleasant emanating from there. A cold draft, a feeling that I was being observed, as if someone in there were listening or peeping through the keyhole to see what I was up to.

I couldn't get back to sleep. I kept fighting against something disturbing, something awful. At times I found myself wishing that I could hear some sound from there, but though there was only one foot between us, I could hear nothing, no sound of breathing, not even the rustling of the sheets.

Finally morning came. I got up and went out. Upon my return home, I found out that my neighbor, who was a bricklayer, had died during the night. I had been lying next to a corpse.

(All the while this scene was passing through my mind, my friend was playing, and I continued undisturbed to think about the past.)

The next day I heard the preparations being made for the shrouding and burial - the clatter and rumble of the coffin in the stairway, the washing of the corpse, the slow, soft speech of the old women.

As long as the sun was up, I found it all merely interesting and could joke about it with people who came to call. But when night fell and I was alone, the mysterious cold aura that corpses give off entered my room, a coldness that is not a lowering of temperature or an absence of heat but a positive freezing coldness that can't be registered on the thermometer.

I couldn't stand it there, and I went out to a restaurant. There they poked so much fun at me for being afraid of the dark that I talked myself out of my earlier decision to sleep somewhere else and went home, feeling rather tipsy. I shook and trembled as I got into my bed next to that corpse, but I managed to crawl under the covers. Far be it from me to say how, but that dead body still seemed to possess some qualities of life that put it in touch with me. A smell as of brass bored right through the door and right up my nostrils, depriving me of any sleep. A silence that only death knows reigned throughout the house, and the bricklayer seemed to exert a greater influence on the living when dead than when alive. After a while I could hear through the thin walls and floors the whisperings and mumblings of sleepless people until well past midnight. Then, contrary to custom, the house became absolutely silent. Not even the policeman who used to come through on his beat was heard from.

The clocks struck one. Two. I jumped from bed, jolted by a banging that came from the dead man's room. Three bangs! Three! My first thought was that the man had been in a state of suspended animation but I didn't want to take the chance of being involved in any spirit scenes. I grabbed a fistful of clothes and dashed down to the next floor where an acquaintance of mine lived. He let me in with a few appropriate jokes and I slept on his sofa cot until morning came.

That was the first time I had given much thought to the common everyday phenomenon of death, which is so simple but which nevertheless has a profound and secret effect on even the most lighthearted of souls.

(My friend at the piano, probably influenced by my thoughts, had kept himself to dark and somber music. But at this point he switched over to something very light.)

The masses of tone seemed to crowd me out of the room, and feeling an impulse to throw myself out through the window, I turned my head and let my glance go out behind the neck of the piano player. Since there was no roller curtain, my glance shot out across the street into an apartment in the house opposite, which was somewhat lower, so that I found myself at the supper table of a small family.

There was a young girl, of dark complexion, slim, plain, moving around a dining-room table at which a four-year-old boy sat. On the table was a vase with chrysanthemums, two large white ones and one bright yellow. I stretched my neck and saw that the table was set and that the boy was about to eat his supper. The young lady tied a napkin under his chin, and in doing so, she lowered her head so far that the back of her neck came into full view, a small neck, slender as a flower stem. Her charming little head with its luxuriant hair bent forward like a flower bud over the child, sheltering it, protecting it. At the same time the little boy made the sweetest motions with his head, first bobbing backward to make room for the bib, and then bobbing forward to shove the stiff bib down with his chin in such a way that his mouth opened and revealed his little white milk teeth.

The woman could not have been his mother, for she looked too young; or his sister, for she was too old. But she was related somehow, I could see that.

The room was furnished simply but neatly. A number of portraits hung on the walls and on the tile stove, breathing the spirit of family love. And hand-woven antimacassars lay on the furniture.

Now the young girl sat down at the table - not to eat, fortunately for me, for it isn't very nice to watch others when you're not participating yourself. She sat down to keep the boy company and to coax him to eat. The little man wasn't in a very good mood, but Aunty (so I had already begun to think of her) soon got him to laugh. I could see by the movements of her mouth that she was singing to him. It struck me as very mysterious that I was seeing her sing but not hearing her, all the while my pianist played along. I felt that he was accompanying her, or should be. I was in both rooms at the same time, but mostly in the room across the street, and I formed a bridge between the two. The three chrysanthemums seemed to take part in the scene too. For a moment I smelled their health-giving, wound-healing camphoric odor blending with the chaste fragrance of iris from her hair, and together they formed a haze over the table that caused the food to vanish, and the child seemed to open his mouth only to inhale this perfume and to glance with laughing eyes at his beautiful dinner partner. The white glass of milk on a white tablecloth, the white china, the white chrysanthemums, the white tile stove and the white faces - everything was white in there. And pure shining white was the motherliness of this young girl toward the boy she had not given birth to, as she untied the bib, wiped his mouth, and kissed him . . .

At the same time my pianist turned to face the window; and now I heard that he was playing for her. I realized that he had seen her - and known the whole time that she was there.

I felt unwanted and superfluous, so I indicated I would be leaving. But he kept me there for a while, and we ended the evening by agreeing to collaborate again on a new work.

VII

I returned to my piano player both because I found my youth again and because we collaborated on a work. The fact that I also stole many moments of pleasure in listening to his music was no larceny on my part since he was playing for her and not for me.

I saw almost the same scene repeated in her rooms on many evenings. Everything was pretty much the same: the child, the bib, the glass of milk. Only the flowers in the vase changed - always three chrysanthemums, however, with the third one changing color while the two white ones provided the basic tone. When I asked myself what it was that made the young girl radiate so much charm and joy, I found that it was due more to her movements than to her figure. Her rhythmical motions seemed to keep time to his music. One might say that he composed to her tempo, her dancing steps and swaying walk, and set to music the fluttering of her arms and the dipping of her neck.

We never talked about her, even pretended not to see her; but we lived with her. And I noticed one day that she had worked herself into the music for my poems - which I surely would not have objected to if she really had fitted in with my somber thoughts. But this she didn't do. Her soul moved in three-quarter time and the music always turned into a waltz. I didn't want to say anything for I knew that the magic spell would be broken with the first spoken word. And if it came to a choice between her and me, he would have thrown me away like an old rag.

* * *

Winter crept forward in a rather pleasant fashion, since I was no longer alone and my wanderings were no longer aimless. Moreover, I felt I was also enjoy-

243

ing a bit of family life since I was involving myself, at a distance, with a woman and a child.

Spring came early; it was here in March. One evening as I was sitting at my desk and writing, my piano player was announced and in he came. By the glow of the lamp I saw this mild little man looking like the cat that swallowed the canary, and he had something in his hand that he wanted to give to me.

It was a card on which stood two names, a man's and a woman's. He was engaged. Since by this time we scarcely found it necessary to use words with each other, I answered with a smile and spoke one word: chrysanthemum, with a rising inflection. He answered with a nod.

It all seemed absolutely natural to me, as if I had always known about it. We didn't waste words on it, but talked a little about our project and then he left.

I wasn't plagued with curiosity for I knew the answers to all the questions that could be asked. How did they meet? In the usual fashion, of course. Who was she? His fiancée. When did they intend to get married? In the summer, when else? Besides, what did it matter to me? Nevertheless I was afraid that he would now break off our collaboration, which was going very smoothly, and that our evening get-togethers would soon come to an end. That was only to be expected after the great event - although as he was on his way out, he told me that he was always home to me up to seven-thirty, and that if he was not at home, I should just walk in and wait or him - the key was in the cabinet in the hall.

I let three evenings go by, and on the fourth I ventured out at about six-thirty to see if he might be in. Halfway up his stairs, I realized that I had forgotten to see if his lights were on, as I usually did. At his door I groped in vain for the key. Then I took it from the cabinet, just as I used to thirty years ago, and put it in, exactly as in former times, and walked into my room.

It was a strange moment. I tumbled straight down into my youth, felt again all the formless fears of the unknown future oppressing me, ready to pounce on me, knew again that self-intoxicated feeling of surging high hopes and of happiness enjoyed in anticipation, alternating moods of confidence and despondency, overestimating my powers and failing to recognize my abilities.

I sat down without turning on the lights. The street light, the same one that had shone on my misery, cast a meager light and threw on the wall the shadow made by the cross of the window frames.

There I sat. Everything was behind me, everything! It was all over. The battles, the victory, the defeat, the bitter and the sweet. And so what? Was I old and tired? No. The battle raged as savagely as ever, on a big-ger scale and for greater objectives, always forward, forward. And if my enemies had lain ahead of me in the old days, now they lay both behind and ahead of me. I had only been resting up for the next advance. And as I sat there on that sofa in that room I felt just as young and just as ready for a fight as I had a generation ago. Only now the objective was different; the old mile-posts lay far behind me. Those who had stayed behind wanted to hold me back too, of course. But I couldn't wait. And so I would have to go my own way alone, reconnoitering the wastelands, seeking new ways and breaking new paths, sometimes mocked by mirages, forced to turn back, but no farther back than the crossroads, and then onwards once again.

I had forgotten about the curtainless window, and when I did think of it and rose to take a look, I saw in the house across the way exactly what I expected to see.

He was sitting at the chrysanthemum table and she was sitting opposite, and both were busy with the child, who belonged to neither of them. It was her sister's son, a widow's only child. The fact that their first love sprang up with a child as its center gave an unselfish aspect to their relationship. Their feelings for each other, joining in the love of an innocent child, were ennobled. And I felt that he had been given an assurance of happiness in the motherly feelings she displayed.

Sometimes they forgot about the child and looked only at each other with that indescribable bliss that comes when two lonely people meet and know that from then on they will fight the loneliness together. For that matter they did not seem to be thinking at all, either about the past or the present. They lived only in the present, basking in the pleasure of each other's company. 'Sitting at a table and looking at each other as long as life lasts!

Glad that I had reached this point in life where I could smile at the happiness of others without any sense of regret or loss and without any imaginary apprehensions or misgivings, I walked out of the torture room of my youth and headed home to my solitude, my work, and my struggles.

Scandinavian Words

The birth of modern Scandinavian literature can be traced to the years around 1900. The prolific literary output of that period testifies to an age of unrest – intellectual, cultural, social and political. Much in our present-day society is reminiscent of that era. The parallels are numerous and striking. Scandinavian Words is therefore pleased to present the rich cultural heritage from those bygone days to the contemporary reader.

August Strindberg 01 *Alone*

SAS